ZWIERZODUCHY

Seria **SPIRIT ANIMALS** to projekt wydawniczy, jakiego jeszcze nie było: każdą z siedmiu części pisze inny autor o międzynarodowej sławie. Cykl otwiera tom autorstwa Brandona Mulla, którego powieści regularnie zajmują pierwsze miejsce na listach bestsellerów „New York Timesa".

Brandon Mull (ur. 1974) imał się różnych zajęć, był m.in. aktorem komediowym, archiwistą i copywriterem. Zasłynął pięciotomową serią *Baśniobór*, która szturmem wdarła się na listy bestsellerów. Właśnie trwają prace nad jej ekranizacją. W Polsce książki z tej serii ukazały się nakładem wydawnictwa W.A.B.
Brandon Mull jest też autorem dwutomowej serii *Wojna cukierkowa*, wydanej przez wydawnictwo Wilga.

TOM 1

ZWIERZODUCHY

Brandon Mull

przekład: Michał Kubiak

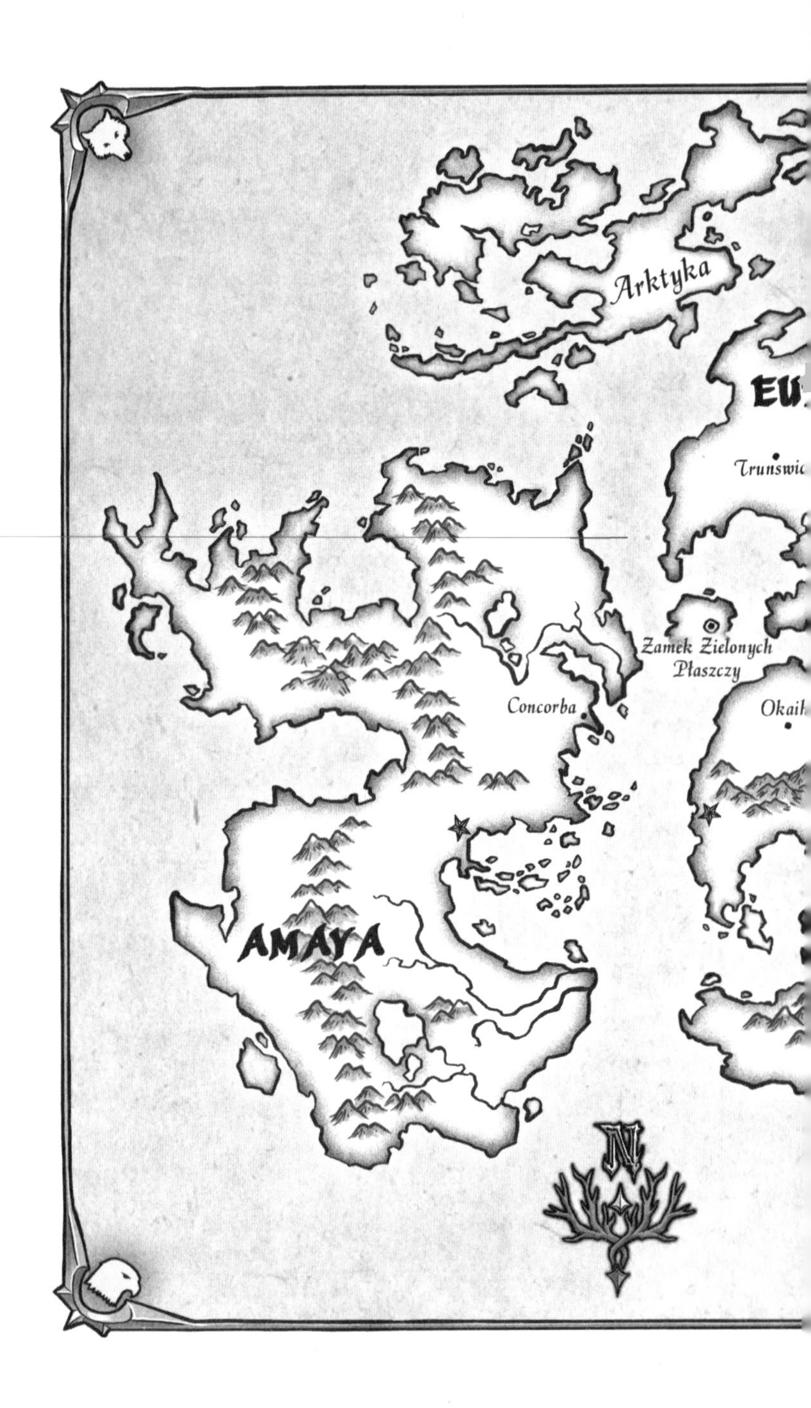
Arktyka
Zamek Zielonych
Płaszczy
Concorba
AMAYA
N

ERDAS
ZHONG
Jano
Rion
Xin Kao Dai
Shar
Liwao
OCEAN
NILO
Archipelag
Stu Wysp
Stetriol

Dla Sadie, która kocha zwierzęta.
Dla Fluffy'ego, Buffy'ego i Mango,
które są zwierzętami.
– B.M.

Tytuł oryginału: *Spirit Animals. Wild Born*

Wydanie I
Warszawa 2014

1
BRIGGAN

Gdyby tylko miał wybór, Conor nigdy by się nie zgodził spędzić dnia swoich najważniejszych urodzin w życiu na ubieraniu Devina Trunswicka. Szczerze mówiąc, z własnej woli nie pomógłby Devinowi w niczym.

Ale Devin był najstarszym synem Erica, earla Trunswicku, Conor zaś był trzecim synem Fenraya, pasterza owiec. Fenray zadłużył się u earla, więc Conor pomagał ojcu odpracować dług jako służący Devina. Zaczął służbę przed rokiem; miała ona potrwać jeszcze przynajmniej dwa lata.

Conor wiedział, że jeśli nie zapnie prawidłowo każdej ze skomplikowanych sprzączek z tyłu płaszcza Devina, odzienie będzie zwisało krzywo, co z kolei spowoduje, że Devin całymi tygodniami nie da mu o tym zapomnieć. Delikatny materiał płaszcza był bardzo ozdobny, lecz niezbyt praktyczny. W razie burzy – Conor był tego pewien – Devin będzie żałował, że nie ma na sobie czegoś solidniejszego. I pozbawionego sprzączek. I może zapewniającego odrobinę ciepła.

– Skończyłeś już się z tym grzebać? – dopytywał się zirytowany Devin.

– Wybacz, milordzie – odparł Conor. – Sprzączek jest czterdzieści osiem, a ja jestem właśnie przy czterdziestej.

– Jak długo jeszcze będzie to trwało? Zaraz umrę ze starości! Nie zmyślasz przypadkiem tych liczb?

Conor miał na końcu języka ciętą odpowiedź. Dorastał, licząc owce, więc przypuszczał, że na rachunkach zna się lepiej od Devina. Jednak wykłócanie się ze szlachcicem zazwyczaj oznaczało kłopoty. Conor wiedział, że nie warto tego robić, zwłaszcza że czasami Devin prowokował go celowo.

– Nie zmyślam.

Drzwi otworzyły się z impetem i do komnaty wpadł Dawson, młodszy brat Devina.

– Jeszcze nie skończyłeś się ubierać?!

– To nie moja wina – odparował Devin. – Conor chyba przysnął.

Conor ograniczył się do obrzucenia Dawsona szybkim spojrzeniem. Wiedział, że im prędzej skończy ze sprzączkami, tym prędzej sam będzie mógł się przygotować.

– Przysnął? Dlaczego? – Dawson zachichotał. – Przecież każde twoje słowo jest wprost fascynujące.

Conor powściągnął uśmiech. Młodszy syn earla rzadko przestawał gadać. Często bywał irytujący, ale potrafił też być zabawny.

– Nie śpię.

– To dlaczego jeszcze nie skończyłeś? – zrzędził dalej Devin. – Ile ci zostało?

Conor miał ochotę odpowiedzieć, że dwadzieścia.

– Pięć.

– Myślisz, że uda ci się przywołać zwierzoducha, Devin? – zapytał Dawson.

– Nie wiem, dlaczego niby miałoby mi się nie udać. Dziadek przyzwał mangustę, ojciec rysia.

Tego dnia w Trunswicku odbywała się uroczysta Ceremonia Nektaru. Za mniej niż godzinę te spośród miejscowych dzieci, które skończyły owego miesiąca jedenaście lat, czekała jedyna szansa przyzwania zwierzoducha. Conor miał świadomość, że potomkowie niektórych rodzin łatwiej niż inni nawiązywali więzi ze zwierzętami. Jednak właściwe nazwisko nie dawało żadnej gwarancji, że próba przywołania zakończy się pomyślnie. Tym razem zaledwie troje dzieci miało skosztować magicznego napoju. Ich szanse na powodzenie były słabe. Z całą pewnością nie było więc warto przechwalać się z wyprzedzeniem.

– Jak myślisz, jakie zwierzę ci się trafi? – ciągnął Dawson.

– Nie mam pojęcia – odparł Devin. – A ty jak sądzisz?

– Pewnie przyzwiesz wiewiórkę – powiedział proroczym tonem Dawson.

Devin rzucił się w stronę brata, który odskoczył, ani na chwilę nie przestając chichotać. Dawson był ubrany mniej uroczyście, dzięki czemu szaty nie krępowały mu ruchów. Mimo to Devinowi udało się go złapać, obalić i przycisnąć do podłogi.

– Raczej niedźwiedzia – wysyczał Devin, wbijając łokieć w pierś brata. – Albo dzikiego kota, jak ojciec! Wówczas natychmiast każę mu sprawdzić, jak smakujesz.

Conor starał się cierpliwie czekać. Rozdzielanie braci nie należało do jego obowiązków.

– Możesz też zostać z niczym – odparował dzielnie Dawson.

– Zostanę, ale earlem Trunswicku, twoim panem.

– Chyba że ojciec cię przeżyje.

– Uważaj, co mówisz, młodszy bracie.

– Cieszę się, że nie jestem tobą!

Devin wykręcił nos Dawsona, aż ten zaskomlił, po czym wstał, otrzepał spodnie i rzucił:

– Mnie przynajmniej nie boli nos.

– Conor też napije się dziś Nektaru! – krzyknął Dawson. – I to jemu może się udać przywołać zwierzoducha!

Conor zapragnął stać się niewidzialny. Czy miał nadzieję na przyzwanie zwierzoducha? Naturalnie! Każdy ją miał. To, że w jego rodzinie po raz ostatni przytrafiło się to jakiemuś prawujowi, nie oznaczało przecież, że i jemu się nie powiedzie.

– Jasne. – Devin zaśmiał się pod nosem. – I pewnie córce kowala też się uda?

– Nigdy nie wiadomo – odparł rezolutnie Dawson. Usiadł i zaczął rozcierać obolały nos. – Conor, a ty jakie chciałbyś zwierzę?

Conor wbił wzrok w podłogę, ale ponieważ szlachcic zadał mu bezpośrednie pytanie, musiał odpowiedzieć.

– Zawsze dobrze się rozumiałem z psami. Chciałbym może owczarka.

– Masz wyobraźnię! – Devin się roześmiał. – Pastuch marzy o psie pasterskim!

– Z psami można się bawić – zauważył Dawson.

– Psy są pospolite – stwierdził Devin. – Ile macie psów, Conor?

– Cała moja rodzina? Gdy ostatnio liczyłem, wyszło mi dziesięć.

– A kiedy ostatnio widziałeś swoją rodzinę? – zapytał Dawson.

Conor nie pozwolił, żeby załamał mu się głos, gdy odpowiadał:

– Ponad pół roku temu.

– Będą tu dzisiaj?

– Pewnie będą się bardzo starać. To zależy, czy uda im się oderwać od pracy. – Conor nie chciał po sobie pokazać, jak jest to dla niego ważne, na wypadek gdyby jednak nikt nie przybył.

– Też mi nowość! – prychnął Devin. – Ile jeszcze tych sprzączek?

– Trzy.

Devin odwrócił się na pięcie i rzucił:

– Nie traćmy więcej czasu, bo się spóźnimy.

Na placu zebrał się imponujący tłum – nie co dzień się zdarzało, żeby syn wielkiego pana próbował przyzwać zwierzoducha. Wydarzenie przyciągnęło zarówno szlachtę, jak i pospólstwo: starych, młodych i całkiem średnich. Grajkowie muzykowali, żołnierze maszerowali, a uliczny sprzedawca zachęcał do kupna kandyzowanych orzechów. Dla earla i jego rodziny wzniesiono specjalną trybunę. Zdaniem Conora plac wyglądał tak, jakby dla wszystkich oprócz niego ogłoszono dziś święto.

Dzień był dość zimny, ale pogodny. Ponad dachami i kominami Trunswicku widać było w oddali zielone wzgórza, za którymi w owej chwili Conor bardzo tęsknił.

Chłopak obserwował już wcześniej parę Ceremonii Nektaru, ale nigdy dotąd nie był świadkiem przyzwania zwierzoducha. Słyszał jednak, że za jego życia udało się to już kilkukrotnie. Ceremonie, które oglądał, nie były specjalnie uroczyste i żadnej z nich nie towarzyszyły takie tłumy. Ani tyle zwierząt.

Powszechnie wierzono, że obecność różnych zwierząt podczas próby zwiększała szanse na przyzwanie zwierzoducha. Jeśli to była prawda, Devin miał szczęście. Wokół zebrano nie tylko zwierzęta domowe i gospodarskie. Conor dostrzegł również ptaki o egzotycznym upierzeniu, klatki z dzikimi kotami, zagrodę pełną jeleni i łosi, kojec z trójką borsuków oraz czarnego niedźwiedzia w żelaznej obroży przykutej łańcuchem do słupa. Było nawet zwierzę, o którym Conor dotąd jedynie słyszał – wielbłąd o dwóch kudłatych garbach.

Idąc przez ciżbę gapiów ku centrum placu, Conor czuł się niepewnie. Nie miał pojęcia, co zrobić z rękami:

skrzyżować je na piersi czy też pozwolić im swobodnie zwisać? Przyglądał się zebranym ludziom, starając się pamiętać, że wzrok większości z nich i tak jest skupiony na Devinie.

Nagle wśród tłumu dostrzegł matkę – machała do niego. U jej boku stali obaj jego bracia, siostra i ojciec. Mieli ze sobą nawet Wojaka, ulubionego owczarka Conora. Zjawili się wszyscy!

Widok najbliższych osłabił nieco jego strach i równocześnie wzbudził w nim na nowo tęsknotę za domem, za wędrówkami po łąkach i gajach, za kąpielami w strumieniach. Brakowało mu prostej, uczciwej pracy na świeżym powietrzu: rąbania drew, strzyżenia owiec czy karmienia psów. Jego rodzinny dom był mały, ale przytulny – w niczym nie przypominał zamku earla, pełnego przeciągów. Conor pomachał do matki.

Przyszły władca Trunswicku szedł pierwszy do ławki stojącej pośrodku placu. Czekała już tam Abby, córka kowala. Siedziała sztywno. Wyglądało na to, że czuje się przytłoczona sytuacją. Miała na sobie najlepszą sukienkę, która jednak wydawała się śmiesznie uboga w porównaniu nawet z najprostszymi szatami matki czy siostry Devina. Conor miał świadomość, że przy synu earla sam również musi wyglądać mało strojnie.

Conor dostrzegł przy ławce dwoje członków Greencloaks, czyli Zielonych Płaszczy. W kobiecie rozpoznał Isillę, której siwiejące włosy opadały na twarz niczym srebrzysty woal. Na jej ramieniu siedziała Frida, oswojony czyżyk. Isilla przewodziła zazwyczaj Ceremonii Nektaru; to właśnie ona podała napój obu braciom Conora.

Mężczyzny towarzyszącego Isilli Conor nie znał. Był on wysoki, szczupły i szeroki w ramionach. Jego ogorzała twarz i spłowiała na słońcu zieleń płaszcza zdradzały, że większość czasu spędzał pod gołym niebem. Skórę miał ciemniejszą niż ludzie z otaczającego go tłumu, jakby pochodził z północnego wschodu Nilo lub południowego zachodu Zhong. Tutaj, w samym środku Eury był to niezwykły widok. Zwierzęcia mężczyzny Conor nigdzie nie dostrzegł, lecz zauważył jego tatuaż, częściowo zakryty rękawem szaty. Poczuł dreszcz podniecenia. Tatuaż oznaczał, że zwierzoduch obcego był uśpiony na jego ramieniu.

Abby wstała i dygnęła przed nadchodzącym Devinem. Następca earla usiadł na ławce i skinieniem dał Conorowi znak, żeby ten podążył za jego przykładem. Conor i Abby zajęli posłusznie miejsca.

Isilla uniosła ręce, żeby uciszyć tłum. Jej towarzysz cofnął się nieco, pozostawiając ją w centrum uwagi.

Conor się zastanawiał, po co ten mężczyzna tu przybył. Doszedł do wniosku, że musiał być gościem specjalnym w związku z wysoką pozycją społeczną Devina.

– Posłuchaj, dobry ludu Trunswicku! – zaczęła przeszywającym głosem Isilla. – Oto zgromadziliśmy się tu dziś w obecności ludzi i zwierząt, by wziąć udział w najświętszym z rytuałów Erdas. Kiedy człek i zwierz jednością się stają, ich moc ulega pomnożeniu. Przybyliśmy tu, by ujrzeć, czy Nektar ujawni ów potencjał w którymś z tych trzech kandydatów: Devinie Trunswicku, Abby, córce Gralla, i Conorze, synu Fenraya.

Wiwaty, które się rozległy na wzmiankę o Devinie, niemal zupełnie zagłuszyły dwa następne imiona. Conor wcale się tym nie przejął. Wiedział, że jeśli zachowa spokój, wkrótce będzie po wszystkim.

Isilla się pochyliła i podniosła zakorkowaną butelkę, pokrytą skórą ozdobioną skomplikowanymi wzorami. Uniosła naczynie nad głowę, żeby pokazać je zebranym. Potem wyjęła korek.

– Devinie Trunswicku, zbliż się – powiedziała, a z tłumu dobiegły radosne gwizdy i oklaski.

Powszechnie wierzono, że osoba jako pierwsza kosztująca Nektaru miała największe szanse na przyzwanie zwierzoducha, więc ten przywilej przypadł Devinowi. Chłopak podszedł do Isilli. Kobieta uniosła palec do ust i wrzawa natychmiast ucichła. Syn earla przyklęknął, a wtedy Conor zdał sobie sprawę, że rzadko miał okazję oglądać go w tej pozycji. Eurańscy szlachcice klękali tylko przed eurańskimi szlachcicami o wyższej pozycji. Członkowie Zielonych Płaszczy nie klękali przed nikim.

– Przyjmij Nektar Ninani.

Kiedy wylot butli dotknął ust Devina, Conor odczuł mimowolne podniecenie. Być może za chwilę pierwszy raz w życiu stanie się świadkiem przyzwania zwierzoducha! Bo chyba Nektar nie mógł zawieść w obecności tak wielu zwierząt? Conor był bardzo ciekaw, kogo przyzwie Devin.

Devin przełknął łyk Nektaru. Isilla cofnęła się o krok. Na placu zapadła głęboka cisza. Devin zamknął oczy i wzniósł twarz ku niebu. Minęła krótka chwila, ale nic się nie wydarzyło. Ktoś w tłumie zakasłał. Nadal nie działo się nic niezwykłego. Zdumiony Devin uniósł powieki i rozejrzał się wokół.

Conor słyszał, że zwierzoduch zjawia się albo natychmiast po wypiciu Nektaru, albo nie zjawia się nigdy.

Devin wstał i obrócił się dokoła, przepatrując tłum i otoczenie. Nie dostrzegł nawet śladu niczego niezwykłego.

Przez tłum przeszedł pomruk.

Isilla się zawahała, zerknęła w stronę trybuny. Conor podążył za jej spojrzeniem. Ponury earl siedział na tronie, w pobliżu leżał jego ryś. Choć earlowi udało się przywołać zwierzoducha, nigdy nie zdecydował się przywdziać zielonego płaszcza.

Isilla popatrzyła na swojego ciemnoskórego towarzysza. Ten skinął lekko głową.

– Dziękuję, Devinie – zaintonowała. – Abby, córko Gralla, zbliż się.

Devin wyglądał tak, jakby zrobiło mu się niedobrze. Jego oczy miały pusty wyraz, ale postawa zdradzała poczucie upokorzenia. Ukradkiem zerknął na ojca i zaraz spuścił wzrok. Kiedy na powrót uniósł głowę, jego spojrzenie było już przepojone wstydem, który szybko zamienił się we wściekłość.

Conor odwrócił oczy – lepiej przez jakiś czas nie przyciągać uwagi Devina.

Abby wypiła łyk Nektaru i jak się spodziewał Conor, kompletnie nic się nie stało. Dziewczyna wróciła na ławkę.

– Conorze, synu Fenraya, zbliż się.

Słysząc swoje imię, Conor poczuł nerwowy dreszcz. Wątpił we własne szanse, skoro Devinowi nie udało się przywołać zwierzoducha. Jednak nadal wszystko mogło się zdarzyć.

Nigdy dotąd Conor nie czuł na sobie tak wielu spojrzeń. Wstając z miejsca, starał się ignorować tłum i skupić wyłącznie na Isilli. Jednak nie za bardzo mu to wychodziło.

Nawet jeśli nic się nie wydarzy, ciekawie będzie się dowiedzieć, jak smakuje Nektar. Najstarszy z braci Fenray porównał napój do kwaśnego mleka koziego, ale Wallace lubił się drażnić z Conorem. Drugiemu bratu, Garlinowi, Nektar przypominał cydr. Conor oblizał usta. Bez względu na jego smak skosztowanie Nektaru będzie oficjalnie oznaczać koniec dzieciństwa Conora.

Chłopak uklęknął przed Isillą, która spojrzała na niego z dziwnym uśmiechem i skrywaną ciekawością w oczach. Czy na innych kandydatów patrzyła w taki sam sposób?

– Przyjmij Nektar Ninani.

Conor przytknął wargi do podanego naczynia. Nektar był gęsty niczym syrop i bardzo słodki, jak owoce zanurzone w miodzie. Wprost rozpływał mu się w ustach. Conor przełknął łyk. Napój był przewyborny! Smakował lepiej niż wszystko, czego dotąd próbował.

Isilla odsunęła butlę, zanim chłopak zdążył ukradkiem wypić drugi łyk. Miał nigdy więcej nie kosztować tego magicznego napoju. Wstał, żeby wrócić na ławkę, i wtedy poczuł w klatce piersiowej piekące mrowienie.

Wszystkie zwierzęta jednocześnie dały głos: ptaki się rozkrzyczały, dzikie koty zaniosły się miauczeniem, niedźwiedź zaryczał, łoś zachrapał, a wielbłąd prychnął i zatupał.

Ziemia poczęła drżeć. Niebo pociemniało tak, jakby słońce przesłoniła nagle chmura. Potem półmrok rozdarł oślepiający błysk, przypominający piorun. Tylko że pojawił się on znacznie bliżej niż wszystkie pioruny, które Conor dotąd widział – nawet wtedy, gdy wdrapał się na wzgórze, a błyskawica roztrzaskała tuż obok drzewo rosnące na szczycie.

Gapie wydali chóralne westchnienie i zaszemrali. Conor, oślepiony błyskiem, mrugał, starając się odzyskać wzrok. Z wnętrza jego klatki piersiowej aż po palce rąk i nóg rozeszło się uczucie gorąca. Pomimo niezwykłości chwili poczuł nagle ogromną radość.

Wtedy właśnie zobaczył wilka.

Conor widywał wcześniej wilki, podobnie zresztą jak każdy pasterz w okolicy. Watahy podkradły im ze stada niejedną owcę, a do tego zabiły trzy z jego ulubionych psów. To właśnie z powodu przetrzebienia stada przez drapieżniki ojciec chłopaka popadł w długi. No i była jeszcze ta noc przed dwoma laty, kiedy to Conor wraz z braćmi odpierał ataki watahy wyjątkowo zuchwałych wilków, które próbowały porwać owce z ich zagrody na hali.

Teraz miał przed sobą największego wilka, jakiego w życiu widział. Niezwykłe zwierzę stało z uniesionym łbem, pozwalając się podziwiać. Miało długie kończyny, było dobrze odkarmione, a okrywało je najwspanialsze, biało-szare futro, jakie Conor był w stanie sobie wyobrazić. Dostrzegł także ostre pazury przy potężnych łapach, groźne kły i przeszywający wzrok intensywnie niebieskich, wręcz kobaltowych oczu.

Niebieskich oczu?

W całej historii Erdas tylko jeden wilk miał takie oczy.

Conor spojrzał na flagę z godłem Eury, zwisającą z trybuny. Na tle koloru głębokiego błękitu widniał wilk Briggan, o przenikliwych oczach, zdradzających inteligencję – Bestia będąca patronem Eury.

Wilk spokojnie podszedł do Conora i zatrzymał się tuż przed nim, po czym usiadł, niczym tresowany pies spełniający rozkaz swego pana. Łeb siedzącego zwierzoducha sięgał znacznie powyżej pasa chłopaka. Conor musiał z całych sił napiąć mięśnie, żeby oprzeć się impulsowi i nie odskoczyć. W innych okolicznościach nie stałby bezczynnie, tylko uciekłby albo starałby się odstraszyć drapieżnika krzykiem. Złapałby może kamień albo solidny kostur, żeby się bronić. Tym razem jednak nie było to przypadkowe spotkanie w dziczy. Conor czuł, jak całe ciało go mrowi i niemal wibruje, a setki ludzi wbijają w niego spojrzenie.

Wilk ukazał się znikąd!

Patrzył teraz na chłopaka z wyrazem spokojnej pewności siebie. Wydawał się całkowicie kontrolować swoją potęgę fizyczną i dzikość.

Conora przepełniła mieszanina onieśmielenia i zaskoczenia, gdy się zorientował, że drapieżnik okazuje mu tyle respektu. Spojrzenie jego niebieskich oczu pozwalało domyślać się intelektu i zrozumienia, jakich nie powinno posiadać żadne zwierzę.

Wilk wyraźnie na coś czekał.

Conor wyciągnął przed siebie drżącą dłoń, a wtedy zwierzoduch polizał ją ciepłym, różowym językiem. Pod jego elektryzującym dotykiem mrowienie w piersi chłopaka natychmiast ustało. Przez chwilę Conor czuł taką odwagę, jasność umysłu i świadomość otoczenia, jakich nigdy dotąd nie zaznał. Wyostrzonymi nagle zmysłami złowił zapach wilka i w jakiś sposób uświadomił sobie, że ma przed sobą basiora, który uważa go za równego sobie.

Potem ów moment rozszerzonej świadomości minął.

Mimo siedzącego przed nim żywego dowodu na to, co właściwie zaszło, wagę sytuacji uzmysłowił chłopakowi dopiero wyraz twarzy Devina Trunswicka – Conor nigdy dotąd nie był obiektem tak jawnej furii i zazdrości.

Przywołał zwierzoducha! I to nie byle jakiego. Wilka! Nikt nigdy przecież nie przyzwał wilka! Briggan był jedną z Wielkich Bestii, a zwierzoduchy nigdy nie należały do tych samych gatunków co Wielkie Bestie. Wszyscy wiedzieli, że to się po prostu nie zdarza.

A jednak się stało. Niezaprzeczalnie, w sposób niewytłumaczalny, ale się stało. Dłoń Conora lizał w pełni wyrośnięty wilk, wilk o niebieskich oczach.

Zadziwiony tłum trwał w ciszy. Earl nachylił się z uwagą. Devin wrzał z wściekłości, a na twarzy Dawsona widniał uśmiech pełen zaskoczenia.

Obcy w zielonym płaszczu zbliżył się do Conora i ujął go za rękę.

– Mam na imię Tarik – powiedział cicho. – Przebyłem długą drogę, żeby cię odnaleźć. Trzymaj się blisko mnie, a nie pozwolę, żeby spotkała cię jakakolwiek krzywda. Nie będę nalegał, żebyś przyjął nasze śluby, póki nie będziesz gotów. Teraz jednak musisz mnie wysłuchać. Wiele od ciebie zależy.

Oszołomiony Conor pokiwał głową. Wydarzyło się tak wiele, że nie zdążył jeszcze tego przetrawić.

Ciemnoskóry mężczyzna w zielonym płaszczu uniósł wysoko dłoń Conora.

– Dobry ludu Trunswicku! – przemówił gromkim głosem. – Wieść o dzisiejszym dniu odezwie się echem na całej Erdas! W godzinie największej potrzeby powrócił do nas Briggan!

URAZA

Abeke skradała się wśród wysokiej trawy. Poruszała się powoli i cicho, stawiając ostrożne kroki i trzymając się nisko, tak jak nauczył ją ojciec. Nagły ruch lub hałas mógł spłoszyć zwierzynę, a wówczas dziewczyna nie miałaby już czasu podejść innej. Z powodu suszy w wiosce Abeke brakowało pożywienia, a ponieważ nie wyglądało na to, aby pogoda miała się wkrótce zmienić, liczył się każdy kęs.

Antylopa ze spuszczonym łbem skubała źdźbła suchej trawy. Zwierzę było młode, ale Abeke była przekonana, że mimo to uciekłoby jej bez trudu i musiałaby wracać z pustymi rękoma.

Zatrzymała się i oparła strzałę na cięciwie. W chwili kiedy napinała łuk, łęczysko skrzypnęło i antylopa poderwała gwałtownie wzrok. Strzała była jednak celna. Trafiła zwierzę w bok, przebijając serce i płuca. Antylopa zachwiała się krótko i upadła.

Abeke uklękła obok powalonego zwierzęcia i odezwała się cicho:

– Przykro mi, że odebrałam ci życie, przyjacielu. Ale nasza wioska potrzebuje twojego mięsa. Podeszłam blisko i strzeliłam celnie, żebyś nie cierpiał. Więc proszę, wybacz mi.

Potem spojrzała w górę, na połać jasnego nieba. Słońce zdążyło przesunąć się bardziej, niż sądziła. Jak długo podchodziła zwierzynę? Na szczęście trafiła jej się zdobycz, którą mogła unieść. Przewiesiła antylopę przez ramię i szybkim krokiem ruszyła w drogę powrotną do domu.

Słońce piekło spękaną, brązową równinę. Kępy zarośli były wysuszone i kruche, krzewy więdły z pragnienia. W oddali widać było kilka samotnych baobabów o grubych pniach i rozległych koronach, zamglonych przez fale gorącego powietrza, unoszące się nad sawanną.

Abeke miała oczy i uszy otwarte. Ludzie nie należeli wprawdzie do ulubionych ofiar wielkich kotów, jednak teraz, gdy wszystkim brakowało pożywienia, nie można było lekceważyć tych drapieżników. Poza tym wielkie koty nie były jedynymi niebezpiecznymi zwierzętami polującymi na sawannie Nilo. Opuszczenie granic palisady otaczającej wioskę zawsze oznaczało ryzyko.

Im dłużej Abeke szła, tym cięższa wydawała jej się antylopa. Jednak dziewczyna starała się ignorować zmęczenie i słoneczny skwar. Zawsze była silna, a do tego wysoka jak na swój wiek. A teraz skrzydeł dodawała jej myśl, że pokaże swoją zdobycz ojcu.

W jej wiosce polowanie było zazwyczaj zajęciem mężczyzn. Kobiety rzadko wypuszczały się same poza osadę. Ustrzelona antylopa będzie więc nie lada niespodzianką oraz doskonałym sposobem upamiętnienia dnia jedenastych imienin Abeke.

Soama, siostra Abeke, była może piękniejsza, potrafiła również lepiej śpiewać, tańczyć i tkać. Może była nawet bardziej utalentowaną rzemieślniczką. Ale nigdy nic nie upolowała.

Zaledwie nieco ponad rok temu, podczas swoich jedenastych imienin Soama obdarowała mieszkańców osady wyszywanym paciorkami gobelinem, przedstawiającym czaple w locie nad stawem. Wielu ludzi wówczas mówiło, że nie widzieli dotąd podobnego dzieła rąk tak młodej dziewczyny. Ale czy gobelin można było zjeść podczas pory głodu? Czy paciorkowy staw mógł ugasić pragnienie? Czy sztuczne czaple mogły uleczyć bóle wywołane głodem?

Abeke nie mogła powściągnąć uśmiechu. Nie słyszała, żeby dotąd jakiekolwiek dziecko obdarowało osadę upolowaną zwierzyną. Czy wioska naprawdę potrzebowała kolejnego ozdobnego dzbana z gliny? Skąd mieszkańcy mieliby wziąć wodę do trzymania w dzbanie? Za to ten dar Abeke miał konkretne zastosowanie.

Abeke podkradała się do palisady chyłkiem, bo chciała uniknąć wzroku wartowników. Weszła do osady tak samo, jak wcześniej wyszła – przez uszkodzone i obluzowane deski, znajdujące się w ogrodzeniu od strony wąwozu. Musiała się wdrapać na ścianę parowu, co nie było łatwe, zwłaszcza z antylopą zawieszoną na plecach.

Miała niewiele czasu, więc zignorowała ciekawskie spojrzenia sąsiadów i pospieszyła do domu. Jak większość pozostałych zabudowań osady, jej chata miała okrągłą podstawę, kamienne ściany oraz stożkowaty dach, kryty trzcinową strzechą. Abeke wpadła do środka i zastała tam czekającą na nią siostrę. Soama wyglądała przepięknie. Miała na sobie pomarańczowy zawój i szal wyszywany paciorkami.

– Abeke! Gdzieś ty była? Czy ojciec wie, że wróciłaś?

– Poszłam zapolować – wyjaśniła z dumą Abeke, nadal czując na ramionach ciężar antylopy. – Sama.

– Wyszłaś poza osadę? Poza bramę?

– A gdzie indziej znalazłabym antylopy?

Soama zakryła oczy dłonią o brązowej skórze.

– Abeke, dlaczego ty zawsze musisz być taka dziwna? Zniknęłaś ze wsi. Ojciec się martwił! Spóźnisz się na swój obrzęd więzi.

– Wszystko będzie dobrze – zapewniła siostrę Abeke. – Pospieszę się. Nie jestem tak wybredna jak ty. Poza tym nikt, kto zobaczy moją zdobycz, nie będzie narzekał.

Za jej plecami otworzyły się drzwi. Abeke się odwróciła i ujrzała ojca – mężczyznę wysokiego, o szczupłej, muskularnej sylwetce i ogolonej głowie. Jego oczy nie miały przyjaznego wyrazu.

– Abeke! Chinwe mi powiedziała, że wróciłaś. Zacząłem już zbierać grupę, żeby wyruszyć na poszukiwania.

– Chciałam podarować osadzie piękny prezent z okazji moich imienin – wyjaśniła Abeke. – Przyniosłam antylopę.

Ojciec zamknął oczy. Przez moment ciężko oddychał, a kiedy się odezwał, było jasne, że z trudem panuje nad tonem głosu.

– Abeke, dzisiaj jest ważny dzień. Spóźniłaś się i cała jesteś pokryta kurzem i krwią. Twoje zniknięcie wywołało wrzawę w całej wsi. Gdzie twój rozum? Gdzie twoja godność?

Dziewczyna poczuła, jak rozpierająca ją duma opada, a chwila szczęścia nabiera gorzkiego smaku. Przez moment nie potrafiła nawet znaleźć odpowiedzi, do oczu napłynęły jej łzy.

– Ale... nic mi się przecież nie stało. Sam wiesz, że świetnie poluję. To miała być niespodzianka.

Ojciec pokręcił głową z dezaprobatą.

– To było samolubne i głupie. Nie możesz podarować wiosce antylopy, to przecież dowód twojego występku! Jak by to świadczyło o tobie, o naszej rodzinie? Jaką lekcję wyniosłyby z tego inne dzieci? Twoim darem będzie dzban, który zrobiłaś.

– Dzban jest przecież brzydki! – wykrzyknęła zrozpaczona Abeke. – Nawet małpa potrafiłaby wykonać lepszy. Nie mam talentu do lepienia garnków.

– Nawet nie próbujesz lepić porządnych garnków. Wróciłaś z polowania żywa, ze zdobyczą. To dowód nie tylko na to, że umiesz polować, lecz także na to, że nie potrafisz podejmować mądrych decyzji. O twojej karze porozmawiamy później, teraz musisz się przygotować. Idę powiedzieć pozostałym, że twój obrzęd więzi jednak się odbędzie. Pozwól, żeby Soama ci pomogła. Gdybyś częściej brała z niej przykład, rzadziej przynosiłabyś nam wstyd.

Abeke była niepocieszona.

– Tak, ojcze – szepnęła.

Gdy zamknęły się za nim drzwi, zdjęła antylopę przytroczoną do pleców i położyła ją na klepisku. Dopiero teraz zauważyła, że ojciec miał rację – rzeczywiście cała była oblepiona kurzem i krwią. Bez emocji przyglądała się swojej wspaniałej zdobyczy, która przyniosła jej tylko wstyd.

Abeke ledwo mogła powstrzymać łzy napływające do oczu. Ten dzień, ten jeden dzień miał należeć do niej! To Soama zawsze była najważniejsza, najbardziej rozsądna, najpiękniejsza i najbardziej utalentowana. Ale dziś to Abeke miała skosztować Nektaru Ninani. Czy uda jej się przyzwać zwierzoducha? Pewnie nie. Jednak tego dnia miała stać się kobietą, pełnoprawną obywatelką osady. Dlatego chciała, żeby jej podarunek był szczególny.

Zatęskniła za matką, która zawsze rozumiała ją najlepiej. Ale jej mama nigdy nie była silna, aż w końcu pokonała ją choroba.

Abeke poddała się emocjom i zaniosła szlochem.

– Nie mamy na to czasu – skarciła ją Soama. – Jesteś spóźniona. Poza tym i tak już wyglądasz okropnie.

Abeke zacisnęła zęby i zwalczyła przypływ wspomnień. Nie chciała przecież, żeby siostra była świadkiem chwili jej słabości.

– Co mam robić? – zapytała.

Soama podeszła i otarła łzy z jej policzków.

– Może jednak powinnaś się rozpłakać. Nie mamy dość wody, żeby cię obmyć.

– Już nie płaczę.

– Umyję cię.

Abeke stała się uległa jak lalka. Nie narzekała ani na szczotkę drapiącą skórę, ani na ledwie wilgotną szmatkę. Nie wypowiadała żadnych uwag na temat swojego stroju ani ozdób. Pozwoliła, żeby Soama zajęła się wszystkim. Starała się tylko nie patrzeć na upolowaną antylopę.

Gdy wyszła z chaty, przekonała się, że cała wieś już na nią czeka – za drzwiami ciągnął się długi szpaler współmieszkańców, tworzących ścieżkę. Mimo wszystko to był jej dzień, choć Abeke już na tym nie zależało. Ale przynajmniej inni będą mieli święto.

Ojciec przyglądał jej się surowo, podobnie jak większość mężczyzn. Część kobiet miała w oczach odrazę, inne – jedynie litość. Kilkoro spośród młodszych dzieci chichotało.

Abeke szła alejką między mieszkańcami wioski, boleśnie świadoma zawodu, jaki im sprawiła. Pragnęła uciec i pozwolić, żeby pożarł ją lew. Zamiast tego ściskała u boku okropny dzban i kroczyła z wysoko uniesioną głową. Nie uśmiechała się, twarz miała bez wyrazu.

Wijąca się między ludźmi ścieżka prowadziła ją ku jej przeznaczeniu. Współplemieńcy, których minęła Abeke, ruszali za nią, podążając na plac w środku osady. Tam, na końcu alejki czekała Chinwe. Kobieta miała na ramionach niedbale narzucony zielony płaszcz, który wkładała tylko na obrzęd więzi. Na jej szczupłej nodze widniał tatuaż przedstawiający antylopę gnu.

Kiedy Abeke się zbliżyła, Chinwe rozpoczęła zaśpiew. Mieszkańcy wsi jak echo powtarzali każdą frazę w starodawnym, plemiennym języku. Podobnie jak pozostali, Abeke nie wiedziała, co oznacza większość tych słów, ale taka była tradycja.

Kiedy stanęła przed Chinwe, uklękła. Na nagich kolanach poczuła ziarnka piasku. Nie przerywając śpiewu, Chinwe zanurzyła niewielką czarkę w dużym naczyniu i spojrzała na klęczącą dziewczynę. Nie wydawała się rozgniewana ani rozczarowana. Wyglądała tak samo jak zawsze podczas odprawiania obrzędu więzi – była spokojna i może nieco znudzona.

Chinwe podała Abeke czarkę. Na jej dnie widniała odrobina bezbarwnego płynu, przypominającego wodę, ale o wiele gęstszego. Abeke go wypiła. Nektar smakował jak zimna zupa, jaką jej matka przygotowywała z miażdżonych orzechów. Był słodszy, ale poza tym uderzająco podobny w smaku. Wspomnienie matki napełniło oczy Abeke łzami. Oddała czarkę Chinwe, przyglądając się jej ciekawie. Czy to naprawdę był Nektar? A może Chinwe zastąpiła go zupą z korzonków i orzechów?

Chinwe odebrała naczynie i śpiewała dalej.

Abeke poczuła się dziwnie. Było to coś w rodzaju zawrotu głowy i jednocześnie przypływu energii. Czy wszyscy czuli się tak samo? Jej zmysły nagle się wyostrzyły. Do jej nozdrzy dotarł niesiony wiatrem zapach rychłego deszczu. Słyszała z osobna każdy śpiewający głos. Wiedziała, kto fałszuje. Wyraźnie wyłapała głosy ojca i siostry.

Wtem niebo zasnuła ciemność. Rozległ się grzmot.

Śpiew urwał się nagle. Wszyscy spojrzeli w górę.

Dotąd tylko raz Abeke widziała przyzwanie zwierzoducha. Udało się to chłopakowi Hano, którego prawujem był stary Tancerz Deszczu. Abeke miała wówczas sześć lat. Nie przypominała sobie, żeby podczas tamtego obrzędu pojawiły się pioruny. Wręcz przeciwnie – za Hano ukazała się łagodna jasność, z której wyłonił się mrówkojad.

Tym razem światło nie miało nic z delikatności. Mrok rozdarła oślepiająca – jaśniejsza niż ognisko – kolumna blasku, rzucając wokół długie cienie. Kilka osób krzyknęło. Kiedy rozbłysk znikł, pojawił się lampart.

Abeke patrzyła osłupiała, czując, jak skóra ją mrowi od stóp do głów. Lamparcica była duża i smukła, rozmiarami niemal dorównywała lwom. Jej lśniące futro było bez skazy. Abeke wiedziała, że gdyby spotkała to zwierzę w dziczy, ten widok byłby ostatnim w jej życiu.

Nikt się nie odzywał.

Gdy lamparcica ruszyła, pod jej skórą zagrały struny mięśni. Z niemal płynną gracją zbliżyła się do Abeke, po czym otarła się o jej nogę. W tej samej chwili mrowienie w ciele dziewczyny ustało.

Abeke instynktownie napięła mięśnie. Osada nagle wydała jej się obca i ciasna. Dziewczyna poczuła potrzebę ucieczki. Co by się stało, gdyby skoczyła...? Miała wrażenie, że gdyby tylko zechciała, mogłaby jednym susem znaleźć się na dachu najbliższego domu. Pragnęła być wolna, biec po sawannie, tropić, polować i się wspinać.

Lamparcica otarła się o jej biodro, czym wyrwała ją z oszołomienia wywołanego przypływem instynktu. Abeke się wyprostowała. Ledwie mogła uwierzyć w to, co się działo. Stojące obok niej zwierzę mogłoby ją zabić jednym zaciśnięciem szczęk.

– Ona wygląda jak Uraza – powiedziało któreś z dzieci, przerywając ciszę.

Po tych słowach rozległy się szepty.

Lamparcica oddaliła się od Abeke na kilka kroków, prawie jakby straciła zainteresowanie, zaraz jednak ponownie na nią spojrzała. Kocica rzeczywiście przypominała Urazę! Miała nawet te legendarne fioletowe oczy, lśniące niczym ametysty. Ale to było przecież niemożliwe. Dotychczas nikomu nie udało się przywołać lamparta. Zdarzały się gepardy, ale nie lamparty ani lwy, a już na pewno nie lamparcice o fioletowych oczach.

Rozległ się pomruk grzmotu i zaczął padać deszcz, który szybko zamienił się w ulewę. Ludzie zadarli głowy i stali z otwartymi ustami i rozłożonymi ramionami. Dało się słyszeć śmiechy i radosne okrzyki. Ktoś złapał Abeke za nadgarstek. To Chinwe, na której ustach gościł rzadki uśmiech.

– Chyba znaleźliśmy nową Tancerkę Deszczu – powiedziała, ucieszona.

Stary Tancerz Deszczu zmarł ponad dwa lata temu. Od tamego czasu w wiosce Okaihee nie padało. Kilka mniejszych burz przeszło w pobliżu, ale w obrębie osady nie spadła ani jedna kropla. Parę niezawodnych studni wyschło. Ciągle dyskutowano, jak przełamać tę klątwę.

– Tancerkę Deszczu? – zdumiała się Abeke.

– Trudno byłoby zaprzeczyć – potwierdziła Chinwe.

Podszedł do nich ojciec Abeke, niespokojnym wzrokiem mierząc lamparcicę.

– Powinniśmy się schować pod dachem.

Abeke przyjrzała mu się spod powiek, przymrużonych dla ochrony przed deszczem.

– Trudno w to wszystko uwierzyć, prawda? – zapytała.

– Naprawdę trudno.

Wydawało się, że ojciec jest myślami gdzie indziej. Czyżby nadal był na nią zły?

– Twoja córka zakończyła suszę, Pojalo – powiedziała Chinwe.

– Na to wygląda.

– I przyzwała lamparcicę. Może nawet tę jedyną.

Ojciec Abeke pokiwał głową z namysłem.

– Zaginiona strażniczka Nilo… Chinwe, co to oznacza?

– Nie mam pojęcia – przyznała kobieta. – To sprzeczne z… Będę musiała porozmawiać z kimś, kto patrzy głębiej ode mnie.

Pojalo nadal się przyglądał lamparcicy.

– Czy ona jest niebezpieczna?

Chinwe wzruszyła ramionami.

– Jak każde dzikie stworzenie. Ale to jej zwierzoduch.

Ojciec popatrzył na Abeke. Na jego łysej głowie rozpryskiwały się krople ulewy.

– Deszcz nadrabia zaległości. Chodźmy.

Piękny zawój Abeke był już całkiem przemoczony. Dziewczyna starała się nadążyć za krokami ojca oraz zrozumieć, dlaczego wydawał się on niezadowolony.

– Jesteś rozczarowany? – zaryzykowała pytanie.

Pojalo się zatrzymał i nie zważając na ulewę, ujął córkę za ramię.

– Jestem zaskoczony. Powinienem się cieszyć, że przyzwałaś zwierzoducha, ale przecież przyzwałaś lamparta! I to nie byle jakiego: kocica przypomina naszą legendarną strażniczkę. Zawsze byłaś inna, Abeke, co bywało i dobre, i złe, ale ten wyczyn przebił wszystko. Czy twoje zwierzę przyniesie ci dobro czy zło? Co przyniesie innym? Nie wiem, co mam o tym myśleć.

Lamparcica dała wyraz swemu niezadowoleniu warknięciem, ale nie nazbyt groźnym. Ojciec Abeke się odwrócił i ruszył w stronę chaty. Kocica podążała tuż za nim.

U wejścia do domu czekał na nich nieznajomy. Miał on na sobie eurańskie odzienie: buty, spodnie i niebieski płaszcz z postawionym na czas deszczu kapturem, który zakrywał rysy jego twarzy.

Pojalo zatrzymał się przed nim.

– Kim jesteś?

– Mam na imię Zerif – odparł żywo mężczyzna. – Przybyłem tu z daleka. Twoja córka dokonała niemożliwego, dokładnie tak, jak przepowiedziała to Yumaris Tajemnicza, jedna z najmądrzejszych kobiet na całej Erdas. To, co się tu dzisiaj stało, zmieni losy świata. Jestem tu po to, aby pomóc.

– W takim razie wejdź – powiedział ojciec Abeke. – Mam na imię Pojalo.

Cała trójka przekroczyła próg chaty, lamparcica zaś miękko wślizgnęła się za nimi.

W środku czekała na nich Soama. Jej strój był ledwie wilgotny – musiała się pospiesznie skryć w chacie przed deszczem.

– Oto i ona – odezwała się, mierząc lamparcicę ostrożnym spojrzeniem. – Czy ja śnię?

– Czy nie jest wspaniała? – Abeke miała nadzieję, że zrobiła wrażenie na siostrze.

Lamparcica szybko obwąchała izbę, po czym przysiadła obok Abeke, a ona się schyliła i pogłaskała wilgotne futro kocicy, którego zapach wcale jej nie przeszkadzał.

– Nie czuję się przy niej bezpiecznie – stwierdziła Soama, wzrokiem szukając pomocy u ojca. – Czy ona musi być z nami w chacie?

– Jej miejsce jest przy mnie – odparła natychmiast Abeke.

Nieznajomy zdjął kaptur. Był w średnim wieku, jego skóra miała jasnobrązowy odcień, równo przycięta bródka zasłaniała jedynie podbródek.

– Może ja będę mógł pomóc. To wszystko wydaje się pewnie zagmatwane. Kiedy zbudziłaś się dziś rano, Abeke, zapewne się nie spodziewałaś, że zmienisz przyszłość Erdas.

– Skąd pochodzisz, Zerifie? – zapytał Pojalo.

– Wędrowcy tacy jak ja pochodzą ze wszystkich zakątków świata.

– Czy należysz do Zielonych Płaszczy? – Abeke wyczuwała, że pomimo braku charakterystycznego stroju mężczyznę cechuje pewność siebie godna członka tej organizacji.

– Jestem jednym z Naznaczonych, lecz nie przywdziałem zielonego płaszcza. Ci, którzy złożyli śluby, są moimi towarzyszami. Jednak skupiam się na sprawach związanych z Wielkimi Bestiami. Czy słyszeliście wieści o bitwach na zachodzie Nilo?

– Tylko pogłoski – odparł Pojalo. – O obcych najeźdźcach. Ostatnio głównym naszym zmartwieniem był brak wody i jedzenia.

– Te pogłoski są jak jęki tamy mającej niedługo pęknąć – powiedział Zerif. – Wojna ogarnie wkrótce nie tylko całe Nilo, lecz także całą Erdas. Poległe Bestie powracają. Twoja córka przywołała jedną z nich. A to miejsce znajduje się w samym środku konfliktu.

Pojalo spojrzał na lamparcicę z niepokojem.

– Wydawało nam się, że ona wygląda jak...

– Nie „jak" – poprawił go Zerif. – Abeke przyzwała Urazę.

– Ale w jaki sposób...? – szepnęła Soama. Jej szeroko rozwarte oczy były pełne strachu.

– Na to pytanie nie ma odpowiedzi – odparł Zerif. – Ważne jest to, co Abeke teraz zrobi. Proponuję swoją pomoc. Musicie działać szybko, bo lamparcica ściągnie na Abeke wielu wrogów.

– O czym ty mówisz? – zapytał Pojalo. – Abeke jest naszą nową Tancerką Deszczu i jest nam bardzo potrzebna.

– Jej moc sprowadzi znacznie więcej niż tylko deszcz – powiedział ponuro Zerif.

Abeke zmarszczyła czoło. Nieznajomy miał wobec niej jakieś plany, a ojciec wydawał się chętnie go słuchać. Czyżby chciał się jej pozbyć? Czy wykazywałby podobny zapał, gdyby to Soama przyzwała lamparcicę?

Zerif dwoma palcami pogładził swoją bródkę.

– Mamy wiele do zrobienia. Najpierw najważniejsze. Zapewne zauważyliście, że Uraza jest niespokojna. Proponuję, żebyście albo oddali jej tę antylopę, albo wynieśli ją z chaty.

3

JHI

Meilin siedziała na poduszce przed zwierciadłem, starannie nakładając makijaż. Zazwyczaj pozwalała, żeby służące malowały ją z okazji świąt lub przyjęć, jednak dzisiejszy dzień był szczególnie ważny, dlatego też chciała wyglądać naprawdę dobrze. A jeśli chciała, żeby coś zostało zrobione naprawdę dobrze, musiała to zrobić sama.

Gdy skończyła podkreślać kształt oczu, oceniła swoje odbicie w lustrze. Wyglądała jak dzieło sztuki pokryte malunkiem stanowiącym samodzielne dzieło sztuki. Wszyscy zawsze jej mówili, że jest oszałamiająco piękna. Nigdy nie potrzebowała makijażu, żeby usłyszeć komplementy. Teraz jednak emanowała wdziękiem przewyższającym nawet jej naturalną urodę.

Każdy umiałby delikatnie umalować twarz i podkreślić usta mocną czerwienią. Meilin znała jednak kilka sztuczek, o których jej służące nie miały pojęcia. Potrafiła odpowiednio wymodelować różem policzki, nałożyć złote cienie wokół oczu oraz nadać fryzurze pozory niedbałości, dzięki czemu włosy wyglądały jeszcze bardziej powabnie.

Meilin przećwiczyła nieśmiały uśmiech, przeszła następnie do uśmiechu zachwytu, wyrazu zaskoczenia, w końcu zaś – grymasu niezadowolenia. Wygładziła miękkie, jedwabne szaty i w duchu uznała, że jest gotowa.

Rozległo się delikatne pukanie do drzwi.

– Czy wszystko w porządku, pani?! – zawołał słodki, wysoki głos. – Czy mogę w czymś pomóc?

W ten uprzejmy sposób Kusha informowała Meilin, że ceremonia Dnia Więzi została przerwana, a najważniejsi dygnitarze z całej prowincji czekają już tylko na nią.

– Jestem prawie gotowa – odpowiedziała Meilin. – Wyjdę za chwilkę.

Nie chciała kazać gościom czekać zbyt długo – to byłoby niegrzeczne. Zaplanowała jedynie małe spóźnienie. Dzięki temu zyskiwała pewność, że gdy się pojawi, oczy wszystkich będą zwrócone tylko na nią.

Pozostali kandydaci zdążyli już skosztować Nektaru. Na Meilin czekało honorowe miejsce, miała przejść obrzęd na końcu. Ostatnia osoba pijąca Nektar miała największe szanse na przyzwanie zwierzoducha – wszyscy o tym wiedzieli.

Jako córka generała Tenga, jednego z pięciu najwyższych rangą dowódców armii Zhong, Meilin od urodzenia miała zapewniony ten przywilej wśród kandydatów podczas cokwartalnej uroczystości Dnia Więzi. Fakt, że była jedynym dzieckiem generała, czynił jej pozycję jeszcze ważniejszą. Nie miała brata, który mógłby odebrać jej dziedzictwo.

Matka Meilin przyzwała zwierzoducha, podobnie jak każde z czworga jej dziadków oraz każde z ośmiorga pradziadków. Jej ojciec, dziadek oraz dwaj pradziadowie byli generałami. Najmniej znaczni z pozostałych byli niezwykle wpływowymi kupcami. Tylko ród cesarza mógł się szczycić świetniejszym pochodzeniem.

Ojciec Meilin nie przywołał zwierzoducha, ale nawet mimo to zdobył w wojsku rangę wyższą niż którykolwiek z jego przodków. Był niezwykłym człowiekiem, nikt nie mógł dorównać mu sprytem, spostrzegawczością ani też siłą raz rozbudzonego gniewu. Zeszłej nocy przepowiedział, że Meilin uda się przyzwać zwierzoducha. Dziewczyna nie wiedziała, czy ojciec odwiedził wróżbitę, czy też sam miał wizję, ale był pewien swoich słów. Przecież generał Teng nigdy się nie mylił.

Meilin wzięła swoją parasolkę, wykonaną z papieru i malowaną w piękne wzory, służącą jedynie do ozdoby. Oparła ją na ramieniu i po raz ostatni spojrzała w lustro.

W tej samej chwili w drzwi załomotała czyjaś ciężka pięść, wyrywając dziewczynę z kontemplacji. To nie mogła być żadna ze służących.

– Słucham?

– Czy jesteś ubrana? – zapytał męski głos.

– Tak.

Drzwi się otworzyły i do środka wszedł generał Chin w galowym mundurze, najbliższy ze współpracowników jej ojca. Jak bardzo się spóźniała?

– O co chodzi, generale?

– Przepraszam za to najście – odparł mężczyzna, po czym urwał i oblizał wargi. Wydawał się zaniepokojony, niemal niepewny. – Mam... niefortunne wieści. Rozpoczęła się inwazja na Zhong. Musimy przyspieszyć ceremonię, a następnie opuścić to miejsce.

– Inwazja?

– Z pewnością słyszałaś o potyczkach na południowym wschodzie.

– Naturalnie. – Ojciec nie miał przed Meilin wielu tajemnic. Jednak obecnie nie przewidywał poważniejszego zagrożenia.

– Właśnie otrzymaliśmy doniesienie, że potyczki stanowiły jedynie wstęp do większego najazdu. Twój ojciec poczynił przygotowania na podobną okoliczność, jednak nasi wrogowie mają więcej ludzi i środków, niż nawet on mógł przypuszczać. – Generał urwał, głośno przełknął ślinę. – Miasto Shar Liwao zostało zajęte. Znajdujemy się oficjalnie w stanie wojny.

Meilin nie mogła wydobyć z siebie głosu. Prawie nie mieściło jej się w głowie, że to, co mówił generał Chin, może być prawdą. Shar Liwao było jednym z największych miast leżących poza obrębem Muru, stanowiło ważny port dla całego Zhong. Czy w taki sposób rozpoczynały się wojny? W dzień, który powinien być szczęśliwy?

Meilin nagle źle się poczuła i zapragnęła zostać sama. Wiedziała, że jej ojciec będzie musiał wkrótce wyjechać. Zhong było potężnym państwem, a na całej Erdas nie znano lepszego generała, więc raczej nic mu się nie stanie. Ojciec mówił jednak, że na wojnie nie ma nic pewnego, że jedna zabłąkana strzała może powalić największego bohatera. Podczas wojny nikt nie mógł się czuć bezpiecznie.

– Całe miasto jest w rękach wrogów? – Meilin musiała to wiedzieć.

– Tak. Nadal zbieramy meldunki. Wiadomo, że atak nadszedł szybko jak błyskawica, napastnikami zaś są buntownicy z Zhong oraz obcy najeźdźcy.

– W takim razie daruję sobie ceremonię. Mogę przejść ją później.

– Nie, wieści dopiero nadeszły, ludzie nic jeszcze nie wiedzą. Chcemy, aby na razie tak zostało. Nie wspominaj o ataku. Wszystko musi przebiegać spokojnie i normalnie.

Meilin pokiwała głową.

– W porządku, zrobię to, co do mnie należy. Ale to sytuacja krytyczna. Ojciec powinien już jechać.

– Nalega na to, aby zobaczyć, jak przyjmujesz Nektar.

Meilin wyszła z domu wraz z generałem Chinem. Zignorowała pytania służek, które natychmiast podążyły za nią.

Posiadłość jej ojca przylegała do placu paradnego, więc nie musiała iść daleko. Otworzyła parasolkę i ruszyła centralną alejką w stronę podium.

Tysiące ludzi wyciągało szyje, żeby lepiej widzieć córkę Tenga. U jej boku szedł generał Chin, połyskując medalami. Słychać było radosne okrzyki tłumu. Nikt ze zgromadzonych nie miał pojęcia, jakie niebawem spadną na nich wieści.

W pobliżu podium widzowie zajmowali miejsca siedzące. Pieniądze i status zapewniały im wygodę i lepszą widoczność. Kiedy Meilin zbliżyła się do sceny, nawet dygnitarze, kupcy i urzędnicy rządowi nagrodzili ją oklaskami na stojąco.

Meilin zmusiła się do przybrania najbardziej naturalnego uśmiechu. Skinieniami głowy witała znane twarze, ale wszystko wokół wydawało jej się kruche i fałszywe. Zastanawiała się, czy widzowie potrafią przejrzeć jej maskę.

Z boku alejki ktoś wykrzyknął jej imię. Był to Yenni, chłopak z jej szkoły. Jego ojciec był urzędnikiem w prowincji. Yenni nie ukrywał swoich uczuć do Meilin, choć była ona od niego niemal trzy lata młodsza. Dziewczyna obdarzyła go nieśmiałym uśmiechem, a on poczerwieniał z radości i uśmiechnął się szeroko.

Meilin nigdy nie całowała się z chłopakiem, choć wielu okazywało jej zainteresowanie. Nienawidziła czuć się jak trofeum. Była nie tylko córką bogatego i cieszącego się popularnością generała, lecz także atrakcyjną i wyrafinowaną dziewczyną. Żaden z interesujących się nią chłopców tak naprawdę jej nie znał. Była dla nich tylko zdobyczą i w żaden sposób nie dało się stwierdzić, na czym naprawdę im zależało.

Meilin się zastanawiała, jak by zareagowali, gdyby zdradziła im swój sekret. Wbrew ich wyobrażeniom pod tradycyjnym makijażem i drogimi jedwabiami nie krył się wydelikacony kwiatuszek. Meilin – oczywiście – miała doskonałe maniery, nauczyła się malować, podawać herbatę i pielęgnować ogród, recytować poezję i śpiewać. Jednak jej ulubionym zajęciem była walka wręcz.

Zaczęło się niewinnie. Meilin miała wówczas pięć lat. Jej ojciec był nie tylko dowódcą, lecz także człowiekiem praktycznym – chciał, żeby jego córka poznała podstawy samoobrony. Miał dostęp do najlepszych żołnierzy w całym Zhong, więc polecił im z nią ćwiczyć. Nawet nie przypuszczał, jak wielki talent w tym zakresie wykaże Meilin ani jak bardzo polubi sztuki walki.

Każdego roku dziewczyna przechodziła coraz bardziej zaawansowany trening. W tajemnicy stawała się z wolna synem, którego jej ojciec nigdy nie miał. Potrafiła walczyć nożem, kijem i włócznią, strzelać z łuku, kuszy i procy. Jej ulubioną dyscypliną była jednak walka bez broni. Zaledwie sześć tygodni po swoich jedenastych urodzinach Meilin przewyższała taktyką każdego przeciwnika, może z wyjątkiem największych mistrzów. Była szczupła, ale silna, więc po osiągnięciu pełnego wzrostu powinna stać się prawdziwie niebezpieczną wojowniczką.

Meilin miała nadzieję, że zwierzoduch dopełni i jeszcze wzmocni jej umiejętności bojowe. Wiedziała, że silna więź ze zwierzęciem może zapewnić człowiekowi najróżniejsze moce. Wsparcie właściwego zwierzoducha sprawiało, że dobrzy żołnierze stawali się wielkimi wojownikami, wielcy wojownicy zaś przechodzili do legendy.

A jaki gatunek odpowiadałby jej najbardziej? Ojciec nazywał ją tycim tygryskiem. Tygrys mógłby być. Albo może pantera śnieżna... Byk mógłby dać jej wielką siłę... Jednak starała się nie nastawiać na nic konkretnego.

Tłum obserwował dziewczynę z entuzjazmem. Tylko najwyżsi rangą dygnitarze zdawali sobie sprawę z nadchodzącej wojny. Wkrótce ich uwagę pochłaniać miały sprawy ważniejsze niż tylko Ceremonie Nektaru.

Meilin dotarła do podium, złożyła parasolkę i oddała ją służce. W przednim rzędzie wypatrzyła swojego ojca w paradnym mundurze. Skłoniła mu się grzecznie i dostrzegła w jego oczach aprobatę – podziwiał jej opanowanie i pewność siebie.

Na scenie i wokół niej ustawiono wiele klatek ze zwierzętami. Wśród tej prawdziwie królewskiej menażerii były orangutany, tygrysy, pandy, lisy, aligatory, żurawie, pawiany, pytony, strusie, woły i bawoły domowe, a nawet para młodych słoni. Rodzinna prowincja Meilin zazwyczaj dbała o zapewnienie dużej liczby zwierząt, lecz ten Dzień Więzi uświetniła największa różnorodność gatunków, jaką Meilin dotąd widziała. Zatroszczył się o to jej ojciec.

Na podium czekał już Sheyu, przywódca miejscowych Zielonych Płaszczy. Ubrany był w proste szaty. Ponieważ nigdzie nie było widać jego pantery mglistej, musiała pozostawać w uśpieniu. Meilin pamiętała, że Sheyu nosił tatuaż zwierzoducha na klatce piersiowej.

Jej ojciec miał wobec Zielonych Płaszczy mieszane uczucia. Szanował członków tej organizacji, ale uważał, że mają oni zbyt wiele władzy i związków z zagranicą. Nie podobało mu się, że sprawowali całkowitą kontrolę nad Nektarem i wykorzystywali to, aby nieustannie wtrącać się do wszystkiego, i to na całej Erdas.

Meilin w duchu przyznawała, że robili na niej wrażenie. Powód był prosty: armie Zhong nie przyjmowały w swe szeregi kobiet, a wśród Zielonych Płaszczy nie było podobnych zastrzeżeń – oceniali oni ludzi wyłącznie według zdolności.

Meilin zauważyła na podium jakąś kobietę. Zarówno rysy jej twarzy, jak i strój świadczyły o tym, że przybyła z odległych krain. We włosy miała wplecione pióra, co zdradzało jej amayańskie pochodzenie. Niska, szczupła nieznajoma stała boso, wydawała się krucha. U jej stóp siedział wielobarwny, egzotyczny ptak.

Sheyu przywołał Meilin gestem. Dziewczyna się zbliżyła, pamiętając, żeby nie odwracać twarzy od publiczności – kandydaci odwracający się plecami do widzów zawsze sprawiali na niej wrażenie amatorów.

Sheyu przenikliwym tonem wypowiedział ceremonialną formułę, tę samą co zwykle. Meilin obiecała sobie, że zachowa spokój, nawet jeśli jej ojciec jednak się mylił i na jej wezwanie nie przybędzie żadne zwierzę. Skoro on poradził sobie w życiu bez zwierzoducha, i jej to się uda.

Sheyu uniósł do ust Meilin jadeitowe naczynie, żeby wypiła łyk. Ciepły płyn zaskoczył ją gorzkim smakiem. Nie bez trudu powściągnęła odruch wymiotny, zmusiła się do uśmiechu i przełknęła napój. Przez jedną niepewną chwilę bała się, że smak Nektaru przyprawi ją o zadławienie. Potem jej żołądek wypełniło gorąco. Kiedy zaczęło promieniować do kończyn, usłyszała dzwonienie w uszach.

Niebo było bezchmurne, ale słońce raptownie ściemniało. Nagle pojawił się oślepiający błysk. Na podium obok Meilin znalazła się panda. Zwierzę było duże jak na swój gatunek. Miało niepokojące, srebrzyste oczy, zupełnie jak Jhi na Wielkiej Pieczęci Zhong.

Panda podeszła do Meilin, uniosła się na tylnych łapach, a przednie oparła o klatkę piersiową dziewczyny. Żar w jej wnętrzu natychmiast ustał. Przez chwilę Meilin czuła jedynie głębokie odprężenie. Nie grała już roli przed tłumem widzów, po prostu była sobą. Wygrzewała się w słonecznym cieple i cieszyła się delikatnymi powiewami wiatru.

Potem ten stan minął.

Meilin przyglądała się swojemu zwierzoduchowi ze zdumieniem. Wielka panda? Nikt nigdy nie przywoływał pand, ponieważ pandą i jednocześnie Wielką Bestią, jedną z Poległych, była Jhi. W odległym kącie placu paradnego stał duży posąg Jhi – ogromnej i nieco przy tym śmiesznej. Panda była w zasadzie przeciwieństwem tygrysa, sprawiała wrażenie uroczej i głupiutkiej. Nie było w niej nic groźnego ani imponującego. Jakich niby mocy miałaby udzielić wojownikowi? Umiejętności jedzenia bambusa?

Widzowie nie wydali z siebie żadnego dźwięku. Meilin odnalazła wzrok ojca. W jego oczach ujrzała szok.

Podeszła do niej Amayanka.

– Mam na imię Lenori – powiedziała cicho. – Jestem tu po to, aby ci pomóc.

– Należysz do Zielonych Płaszczy?

– Nie noszę płaszcza, ale tak, należę. Czy zdajesz sobie sprawę z tego, czego dokonałaś?

– Wiem, że przyzwanie pandy nie powinno w ogóle być możliwe.

– Właśnie. – Lenori ujęła dziewczynę za rękę i uniosła ją wysoko. – Meilin wypełniła zapomnianą przez wielu przepowiednię! Poległa Jhi powróciła na Erdas! Wszyscy...

Kobieta nie zdążyła dokończyć zdania. Przeszkodził jej dźwięk dzwonów alarmowych i huk gongów, używanych wyłącznie w wypadku zagrożenia. Meilin uważnie zlustrowała plac. Czyżby alarm miał coś wspólnego z inwazją? Nie, to nie miało przecież sensu. Shar Liwao znajdowało się daleko, za Murem Zhong. W chwili kiedy przypomniała sobie o konieczności zachowania kamiennej twarzy, zabrzmiały wielkie rogi – ich niskie dźwięki ostrzegały przed nieuchronnym niebezpieczeństwem.

Zebrani na placu poczęli kręcić się niespokojnie, rozległy się okrzyki przestrachu. Meilin stała bez ruchu, pozornie opanowana, ponieważ zdawała sobie sprawę, że wzrok wielu osób nadal spoczywa tylko na niej. Wiedziała, że alarm nie mógł być jedynie ćwiczeniem, skoro rozległ się ryk rogów. Zdarzyło się coś bardzo złego. Czyżby czuła zapach dymu? Jednak za wysokimi ścianami otaczającymi plac paradny trudno było cokolwiek dojrzeć.

Potem rozległy się krzyki. W tylnej części placu, za pilnie strzeżonymi miejscami dla dygnitarzy rozpętały się starcia. Mężczyźni i kobiety w tłumie zrzucali płaszcze, wiele osób przyzywało swoje zwierzoduchy. Na przypadkowych gapiów poczęły spadać ciosy mieczy i toporów. Kiedy widzowie rzucili się do ucieczki, przez sam ich środek zaszarżował byk. W powietrzu zatoczyły łuk trzy strzały i wbiły się w podium.

Meilin zignorowała strzały, choć jedna utkwiła tak blisko, że dziewczyna mogła ją złamać kopnięciem. Przecież inwazja miała przebiegać daleko stąd, za Murem! Meilin słyszała wprawdzie o zamieszkach w odległych miastach, ale nigdy nic podobnego nie zdarzyło się w Jano Rion. Miasto było jednym z najpotężniejszych w całym Zhong i stanowiło wzór dla innych.

Z błyskiem światła Sheyu uwolnił swojego zwierzoducha. Pantera mglista dziko ryknęła, a on sam naciągnął rękawicę z czterema ostrzami. Drugą ręką złapał i szarpnął Meilin za ramię, żeby zmusić ją do marszu.

– Musieli przyjść po ciebie! – krzyknął.

Meilin niepewnym krokiem podążyła za nim w stronę kulis sceny, wyciągając jednocześnie szyję, aby obserwować plac paradny. Strażnicy związali rebeliantów walką. Ścierały się miecze i włócznie, topory huczały, uderzając o tarcze. Niektóre ciosy trafiały w cel. Zewsząd dobiegały krzyki mężczyzn i kobiet.

Meilin wiele słyszała od ojca o bitwach, ale nigdy dotąd nie widziała niczyjej śmierci. Teraz, w ciągu kilku sekund zobaczyła więcej, niż była w stanie znieść. Zanim zeskoczyła z podium, dostrzegła jeszcze, jak Kusha, jej główna służka, osuwa się na kolana ze strzałą wbitą w plecy.

Ojciec pomógł Meilin odzyskać równowagę. U jego boku czekał generał Chin wraz z Lenori.

– Szybko – ponaglał Teng. – Musimy się dostać do wieży i ocenić sytuację w mieście.

Jego słowa pobudziły Meilin do działania.

– Słusznie – powiedziała dziewczyna i się obejrzała, akurat, żeby zobaczyć, jak jej panda bez odrobiny wdzięku sturlała się ze sceny. Przynajmniej jej nic się nie stało.

Czy rana Kushy była śmiertelna? Strzała w jej plecach wyglądała groźnie…

Ojciec biegł w stronę drzwi znajdujących się za sceną. Meilin była tuż za nim, a Sheyu trzymał się blisko niej. Z jednej strony pędziło już kilku uzbrojonych buntowników, chcących odciąć im drogę ucieczki. Wraz z nimi zbliżały się ruda panda mała, sporych rozmiarów pies i kozica o wysokich, skręconych rogach.

Generałowie Teng i Chin jednocześnie dobyli mieczy, zmienili kierunek i z furią natarli na napastników. Sheyu naciągnął drugą rękawicę z ostrzami i skoczył do walki razem ze swoją panterą.

Meilin chciała do nich dołączyć, ale w przeciwieństwie do rebeliantów była bez broni. Gorączkowo rozglądała się za jakimś orężem, ale żadnego nie znalazła.

Generał Chin wraz z jej ojcem związali napastników walką, demonstrując tę samą wprawę i pewność siebie co w sali ćwiczeń. Walczyli w parze, odpierając ataki, powalając kolejnych wrogów i nieustannie udzielając sobie wzajemnie pomocy. Sheyu i jego pantera zanurkowali w grupkę buntowników i zwijali się w unikach, umykając ciosom o włos i z niezwykłą skutecznością tnąc wokół: pantera – pazurami, a Sheyu – sztyletami.

Lenori ciągnęła Meilin do drzwi, a Jhi cały czas trzymała się blisko. Gdy naparła kolejna banda buntowników, Sheyu razem z generałami odskoczyli i ponownie skierowali się ku murowi.

Generał Chin, krwawiąc z rany w ramieniu, otworzył drzwi w murze własnym kluczem.

– Szybko! – krzyknął.

Grupa przeszła przez drzwi i generał je zamknął.

Ojciec Meilin ruszył biegiem, prowadząc pozostałych przez korytarz znajdujący się wewnątrz muru okalającego plac paradny. Grube ściany tłumiły tumult dochodzący z zewnątrz, więc ich kroki odbijały się w przejściu głośnym echem. Meilin obejrzała się przez ramię i zobaczyła, że ptak Lenori podskakuje i podfruwa, dotrzymując ludziom kroku, panda zaś zamyka tyły, biegnąc niespiesznie i tylko na tyle szybko, żeby zanadto się nie oddalić.

Meilin wiedziała, dokąd się kieruje jej ojciec. Posterunek obserwacyjny w rogu placu paradnego stanowił jeden z najwyżej położonych punktów w całym Jano Rion. Z tej wysokości mogli zobaczyć nie tylko rozległe miasto, lecz także jego okolice, dzięki czemu generał mógł najlepiej ocenić sytuację.

Podczas biegu Meilin powstrzymała się od zadawania pytań. Zachowałaby się inaczej, gdyby była z ojcem sama. Zdawała sobie jednak sprawę, że w towarzystwie udzieliłby jej tylko tych informacji, które uzna za stosowne.

Na widok zbliżającego się dowódcy żołnierze stojący u stóp wieży wyprostowali się i zasalutowali. Generał oddał salut i wszedł na platformę.

– Co to takiego? – zapytała z wahaniem Lenori.

– Pomysłowe urządzenie – wyjaśnił Sheyu. – Dzięki przeciwwagom platforma wzniesie się na szczyt wieży.

Wszyscy stanęli na platformie. Panda nie okazała żadnego wahania. Kiedy wznosili się w górę, Meilin spojrzała w jej srebrne oczy i zauważyła, że pomimo panującego wokół chaosu panda wydawała się pogodnie spokojna oraz w jakiś dziwny sposób świadoma. Meilin pierwsza odwróciła wzrok.

Kiedy tylko platforma dotarła na szczyt wieży, generał Teng szybko wyprowadził grupę na taras obserwacyjny. Żołnierze, wyposażeni w lunety, zatrzymali się, żeby mu zasalutować.

– Spocznij – rzucił generał.

Zbliżył się dowódca posterunku, jednak ojciec Meilin odprawił go gestem. Wolał samodzielnie dokonać oceny sytuacji. Meilin stała obok niego z szeroko otwartymi oczyma. Ledwo mogła uwierzyć w to, co ujrzała.

W Jano Rion trwała bitwa. W stolicy prowincji, w jednym z największych miast Zhong i poza jego granicami, toczyły się walki. Mury miejskie szturmowały ogromne zastępy wrogów, zalewające równinę wokół niczym fala powodzi. Nacierający buntownicy rozbijali grupki żołnierzy starających się zorganizować obronę. Wielu napastnikom towarzyszyły zwierzęta, wielu dosiadało ich jak wierzchowców. Wszyscy mieli miecze, włócznie, maczugi lub topory. Skąd się wzięli? Dlaczego zaatakowali bez żadnego ostrzeżenia?

Miasto płonęło. Meilin widziała czarny dym bijący w górę co najmniej z kilkunastu miejsc. W płomieniach stała cała akademia, w której ona sama pobierała nauki! Stary budynek liczył sobie kilkaset lat, uczyli się tam jej przodkowie. Teraz Meilin patrzyła na płomienie trawiące budowlę. Po ulicach widocznych w dole przewalały się zacięte potyczki. Dziewczyna wyciągała szyję, żeby zobaczyć więcej, ale budynki i drzewa zasłaniały sporą część placów i zaułków.

Spojrzała w górę, na twarz swojego ojca, obleczoną w stoicką maskę. Ścisnęło jej się serce. Widziała, że ojciec jest w szoku, choć świetnie to ukrywa. Ktoś nieznający go blisko mógłby nie zauważyć głębi jego oszołomienia.

Generał wyciągnął dłoń po lunetę. Uniósł przyrząd do oka i skupił się na kilku miejscach położonych poza granicami miasta, a potem na jego centrum.

– Tak wielu z nich ma zwierzoduchy – mruknął.

Generał Chin miał własną lunetę.

– To najazd bez precedensu. Nikt nie widział tak wielkiej armii od czasu…

– …od czasu Pożeracza – dokończył Teng.

Meilin zamrugała nerwowo. Pożeracz był legendą z przeszłości, potworem z bajek dla dzieci. Dlaczego jej ojciec wspomniał o nim w takiej chwili?

– Skąd oni się wzięli? – zapytał Sheyu. – W jaki sposób taka armia pokonała Mur Zhong bez wiedzy strażników?

Meilin spojrzała na ojca. Sama chciała o to spytać.

– Oni nie noszą mundurów – powiedział Teng. – Nie wygrali więc dzięki liczebności. Musieli się przedostawać przez Mur powoli, stopniowo. Mogło to trwać latami. Wielu z nich wygląda na mieszkańców Zhong, ale nie wszyscy. Na samą myśl o logistyce takiego przedsięwzięcia kręci mi się w głowie. Osobiście uważałbym atak na taką skalę za niemożliwy do przeprowadzenia, a jednak oto są! Siła wojskowa Zhong skupiona jest daleko stąd, wzdłuż Muru. Wielu żołnierzy zdąża w tej chwili ku Shar Liwao, ale jak się okazuje, tam chodziło jedynie o odwrócenie uwagi.

– Co mamy czynić? – zapytał Chin.

– Naszą powinność – odparł generał Teng, po czym podniósł głos. – Zostawcie nas samych.

Strażnicy opuścili posterunek obserwacyjny. Sheyu ujął Lenori za ramię i odwrócił się, żeby podążyć ich śladem.

– Nie wy, Zielone Płaszcze – powiedział generał Teng, a jego głos zabrzmiał jak głuchy warkot.

Trzymał dłoń na ramieniu Meilin, wiedziała więc, że i ona ma zostać.

Sheyu i Lenori podeszli bliżej.

Meilin obserwowała ojca. Wyraz jego twarzy bardzo ją niepokoił. Starała się zdławić dręczący ją strach.

– Jano Rion upadnie – stwierdził rzeczowo generał. – Nie mamy dość ludzi, aby się bronić. Lenori, powiedziałaś, że Meilin przyzwała samą Jhi, żyjący symbol Zhong. Co to oznacza? I co proponujesz?

– Muszę ją zabrać do naszego przywódcy – odparła Lenori. – Jhi nie jest pierwszą Bestią spośród Czworga Poległych, które powróciły w ciągu ostatnich tygodni. Ta wojna ogarnie całą Erdas. Planujemy zjednoczyć Czworo Poległych i walczyć. To nasza jedyna szansa.

Meilin poczuła, jak ojciec mocniej zacisnął dłoń na jej ramieniu.

– Niech tak będzie. – Skinął głową. – Lenori, weź moją córkę. To nie jest teraz miejsce dla niej. Sheyu, upewnij się, proszę, że Meilin i Lenori bezpiecznie dotrą na statek w Xin Kao Dai.

Sheyu oparł pięść na piersi i skłonił głowę.

– To będzie dla mnie zaszczyt.

– Ojcze, ja nie chcę! – wykrzyknęła Meilin. – Proszę, pozwól mi zostać z tobą i bronić naszego domu!

– Nie jesteś tu bezpieczna...

– Gdzie będę bezpieczniejsza niż u boku największego generała na całej Erdas?

– Poza tym – ciągnął stanowczo ojciec, uciszając ją gestem uniesionej ręki – możesz mieć do wykonania ważne zadanie gdzie indziej. – Spojrzał jej w oczy. – Meilin, udaj się do przywódcy Zielonych Płaszczy. Wysłuchaj go, a jeśli jego słowa będą miały sens, a jego droga wyda ci się słuszna, udziel mu wszelkiej pomocy, jakiej wymaga od ciebie obowiązek. Jeśli tak się nie stanie, znajdź lepszą drogę. W obu wypadkach nie zapomnij ani kim jesteś, ani skąd pochodzisz.

– Ale...

Generał Teng pokręcił głową.

– Taka jest moja wola.

Meilin zrozumiała, że rozmowa była skończona, a jej los postanowiony. Gorące łzy zakłuły ją pod powiekami. Zerknęła w dół, na armię nadciągającą w stronę jej domu, a potem na zdrajców siejących zniszczenie na placu paradnym. Jak mogła uciec, porzucając ojca, który musiał stawić czoła zagrożeniu z rozproszoną i w połowie już pokonaną armią?

Popatrzyła na Jhi, a ona odwzajemniła jej spojrzenie ze zrozumieniem i chyba odrobiną litości. A może Meilin tylko wyobraziła sobie empatię wyzierającą z oczu zwierzęcia? Wbiła wzrok w ziemię. Nie potrzebowała teraz zrozumienia, tylko siły, a panda miała nikłe szanse na wzmocnienie jej umiejętności wojowniczki. W dodatku to z jej powodu kobieta z Zielonych Płaszczy zabierała Meilin z domu. I od ojca.

Z klatki schodowej wiodącej na wieżę dobiegł zgiełk. Na ostatni stopień wtoczył się ranny żołnierz.

– Idą na górę! Jest ich zbyt wielu! – wykrzyknął.

Ojciec Meilin skinął głową.

– Zatrzymajcie ich tak długo, jak zdołacie.

Żołnierz się odwrócił i utykając, ponownie zniknął w korytarzu. Słychać było szczęk ścierających się kling i zwierzęce ryki. Generał Chin ustawił się na górze schodów i dobył miecza.

Ojciec Meilin pociągnął za dźwignie opuszczające platformę, po czym wskazał drabinę wiodącą w dół szybu i nakazał:

– Tędy zejdziecie do pierwszego tunelu. Powinno wam się udać prześlizgnąć obok buntowników. Uciekajcie z miasta.

Meilin nie potrafiła dłużej milczeć.

– A co z...

Ojciec ostrym gestem uciął jej słowa.

– Generał Chin i ja upewnimy się, że dotarliście do tunelu, a potem sami znajdziemy drogę ucieczki – powiedział, obdarzając córkę wymuszonym uśmiechem. – Nie pozwolę, aby ta hołota mnie dostała. A teraz już idź.

Nie było dyskusji. Meilin nie zamierzała przynieść ojcu hańby błaganiem ani sprzeczką. Spojrzała mu tylko w oczy i odparła:

– Jak sobie życzysz, ojcze.

Jej opiekunowie zaczęli już schodzić do tunelu. Meilin z pewnym zaskoczeniem zauważyła, że Jhi potrafi sama zejść po drabinie.

W chwili gdy dziewczyna postawiła stopę na pierwszym szczeblu, generał Chin starł się z pierwszym napastnikiem. Tuż przed tym, jak jej głowa zniknęła za krawędzią otworu, Meilin zdążyła jeszcze zobaczyć, jak Chin i jej ojciec cofają się pod naporem licznych buntowników, zastawiając się mieczami.

Nie wydała z siebie żadnego dźwięku. Gdyby wrogowie zauważuli ich ucieczkę, wysiłki ojca poszłyby na marne. A przecież nadal mogło mu się udać wydostać z miasta – był bardzo przebiegły.

Meilin dołączyła do Lenori, czując, jak do oczu napływają jej łzy. Sheyu wziął ją za rękę i poprowadził wąskim tunelem.

4
ESSIX

Rollan kręcił się na rogu ulicy, trzymając się plecami do apteki. Nieco dalej, na ulicznym bruku, między grubo tynkowanymi budynkami o zaokrąglonych fasadach, stali Mędrek i Rudy. Patrzyli w kierunku Rollana, więc on starał się wzrokiem dać im znak, żeby nie ściągali na niego uwagi. Zrozumieli i odwrócili się w inną stronę.

Rollan został sierotą w wieku pięciu lat. Dawno temu zrozumiał, że aby przetrwać, czasem trzeba kraść. Mimo to uciekał się do kradzieży tylko w ostateczności. Za to nie miał nic przeciwko zabieraniu resztek z czyichś stołów, zwłaszcza że bogaci ludzie zostawiali lub wyrzucali najróżniejsze rzeczy. Rollan opracował więc wiele przebiegłych sposobów na przywłaszczanie sobie niedokończonych posiłków i porzuconych ubrań. Nie kradł tych rzeczy, tylko je odzyskiwał.

Jego aktualnego kłopotu nie dało się jednak w ten sposób rozwiązać. Nie było czegoś takiego jak niepotrzebny wyciąg z wierzby. Ten środek był po prostu zbyt cenny. Dzięki Rączce Rollan miał kiedyś wraz z resztą chłopaków trochę wyciągu, ale już się skończył – zmarnowali go na mniej poważne dolegliwości. Gdyby tylko wiedzieli, co się wydarzy, używaliby go oszczędniej. Teraz jednak było już za późno.

Nie wpakowaliby się w kłopoty, gdyby Rączka nie dał się aresztować. Chłopak miał złodziejski talent i dopóki im towarzyszył, życie było znacznie łatwiejsze. Niestety stał się chciwy i zaczął kraść naprawdę wartościowe rzeczy. Złapała go milicja i trafił za kratki.

Rollan spojrzał przez ramię na fasadę apteki. Podobnie jak w wypadku wielu innych sklepów w mieście, również nad jej wejściem powiewał sztandar z godłem – sokolicą Essix, Wielką Bestią będącą patronką Amayi.

Ryjec naprawdę potrzebował pomocy. Płonął od gorączki, jego stan się pogarszał. Bez lekarstwa mógł nawet umrzeć.

Rollan skrzyżował ramiona na piersi i z nachmurzoną miną wbił wzrok w ziemię. Nie lubił kraść, ale nie z powodu jakiegoś głęboko zakorzenionego szacunku dla prawa. Doskonale wiedział, że wielu spośród paskarzy Concorby zarobiło fortuny kosztem ubogich, odbierając, co się dało ludziom, którzy i tak niemal nic nie mieli. A prawo chroniło ten układ. Nie, kradzież była po prostu zbyt ryzykowna. Dzieciaki przyłapane na próbie zwędzenia choćby drobiazgu czekały srogie kary, tym sroższe, im starszy był delikwent. Poza tym Rollan miał swój honor, a dokładnie własną wersję honoru: nigdy nie okradał ubogich, kalek ani chorych i zawsze próbował najpierw innych możliwości.

Ta niechęć do kradzieży sprawiała, że starsi chłopcy drażnili się z nim i szydzili z niego. Chcieli mu nadać przydomek Sprawiedliwy, ale Rollan stanowczo się temu sprzeciwił. Nie zaakceptował zresztą żadnego innego przezwiska, jakie dla niego wymyślali, dlatego koledzy zwracali się do niego po imieniu.

Bez względu na to, z której strony przyglądał się sytuacji, wiedział, że kradzież w aptece będzie trudna. Jej właściciel cieszył się złą sławą. Jego pracownicy byli czujni, z łobuzami się nie patyczkowali, tylko oddawali ich w ręce milicji. Rollan ostrzegał kompanów, żeby nie próbowali kraść wyciągu z wierzby. Rączce mogłoby się to może udać, ale nikt z pozostałych nie miał nawet części jego wprawy.

Rollan nie był zbyt dumny, żeby prosić o pomoc. Żebranina dobrze mu wychodziła. Pracownicy niektórych piekarni i tawern nie mieli nic przeciwko temu, żeby oddawać mu suchy chleb albo inną niepotrzebną żywność. Czasy były jednak ciężkie. Amaya była młodym kontynentem, którego duża część nie została jeszcze ujarzmiona. Nawet w mieście wielkości Concorby wystarczyły jedne słabe żniwa albo atak piratów na statki importera żywności, żeby wszyscy odczuli tego skutki. Najbardziej dotykało to oczywiście ludzi z dołu drabiny społecznej.

Tym razem jednak było za mało czasu, żeby próbować wyżebrać dość pieniędzy na zakup wyciągu. Dlatego Rollan postanowił, że spróbuje ukraść lek. Życie przyjaciela było w końcu ważniejsze niż jakieś tam zasady. Tylko że gdy przeprowadził rekonesans, utwierdził się w przekonaniu, że skok na aptekę ma niewielkie szanse powodzenia. Czy mimo wszystko powinien zaryzykować?

Prosił już o pomoc wszędzie i wszystkich, z wyjątkiem samego aptekarza. Nie bardzo wierzył, żeby aptekarz zechciał mu pomóc, mimo to postanowił spróbować. Wziął się w garść i wszedł do środka.

Właściciel apteki, Eloy Valdez, stał w białym fartuchu za kontuarem. Miał siwe, skłębione bokobrody, wyraźnie łysiał. Natychmiast zauważył Rollana. Zresztą chłopak zwracał na siebie uwagę w każdym sklepie, ponieważ nawet w swoim najlepszym ubraniu wyglądał jak bardzo młody, obdarty łobuziak.

Rollan podszedł do kontuaru.

– Dzień dobry, panie Valdez.

– Witaj, chłopcze. W czym mogę ci pomóc? – Oczy mężczyzny miały podejrzliwy wyraz.

– Nie mnie, tylko mojemu przyjacielowi. Ma straszną gorączkę. To już trzeci dzień i jest z nim coraz gorzej. Jest sierotą, jak ja. Potrzebny mu wyciąg z wierzby. Nie mam pieniędzy, ale nie boję się ciężko pracować. Mogę pomóc w sprzątaniu albo robić inne rzeczy, co panu potrzeba.

Pan Valdez zrobił minę mówiącą: „żałuję, ale nie mogę ci pomóc". Rollan widział ją już nie raz.

– To drogi lek. W dodatku ostatnio go brakuje, co sprawia, że jest jeszcze droższy.

– Mogę pracować, ile trzeba – zaproponował Rollan.

Aptekarz wciągnął z sykiem powietrze przez zęby.

– Wiesz, jakie są teraz czasy. Moi dwaj pomocnicy wszystkim się tu zajmują. Nie mam żadnej dodatkowej pracy, zresztą na każde wolne miejsce czeka wiele osób z właściwymi kwalifikacjami. Przykro mi.

Policzki Rollana płonęły ze wstydu, ale chłopak pamiętał, że Ryjec go potrzebuje.

– Może mógłby pan coś wymyślić? Wie pan, żeby pomóc uratować życie mojemu przyjacielowi.

– Szukasz jałmużny – powiedział ze znawstwem pan Valdez. – A ja z zasady jej nie daję. Leki są kosztowne. Gdyby twój przyjaciel był w całym mieście jedynym potrzebującym pomocy, na pewno bym mu jej nie odmówił. Ale liczba biednych ludzi potrzebujących lekarstw jest nieskończona. Gdybym dał wyciąg za darmo tobie, powinienem robić to samo i dla innych, a wówczas w ciągu tygodnia musiałbym zwinąć interes.

– Nikomu nie zdradzę, skąd dostałem lek. Może nie jest pan w stanie pomóc wszystkim, ale jemu tak. Proszę, panie Valdez. On nie ma nikogo na świecie.

– Sekrety w rodzaju darmowego wyciągu z wierzby szybko wychodzą na jaw – stwierdził aptekarz. – Poza tym twoja historia może być prawdziwa, ale inne wcale nie muszą takie być. Skąd mam wiedzieć, kto mówi prawdę? Nie mogę ci pomóc. Miłego dnia.

Rollan poczuł się odprawiony. Co mu pozostało? Gdyby po jakimś czasie wrócił do apteki, pan Valdez obserwowałby każdy jego ruch. Kradzież leku nie była już teraz możliwa.

– Jak by się pan czuł, gdyby był pan całkiem sam w jakimś zaułku, chory i bez dachu nad głową? Gdyby nikt nie zwracał na pana uwagi?

– Dlatego właśnie nie mieszkam na ulicy – odparł aptekarz. – Dlatego właśnie ciężko pracowałem na to, co mam, i dlatego właśnie zamierzam tu zostać. Dbanie o potrzeby jakiegoś ulicznika nie należy do moich obowiązków.

– Ciężka praca nie zawsze pozwala wyrwać się z życia na ulicy – powiedział Rollan, w którym narastała bezsilna frustracja. – I nie zawsze pozwala się przed nim uchronić. Co by się stało, gdyby pana sklep spłonął?

Pan Valdez przymrużył podejrzliwie oczy.

– Czy to ma być groźba?

Rollan uniósł obie dłonie.

– Nie! Chodzi mi o to, że każdemu może się przytrafić nieszczęście.

– Aldo! – zawołał pan Valdez. – Tej tu osobie trzeba pomóc trafić do drzwi!

Rollan wiedział, że sprawa jest przegrana. Doszedł do wniosku, że nie musi się dłużej podlizywać aptekarzowi.

– Panu trzeba by pomóc znaleźć serce. Mam nadzieję, że zachoruje pan na coś, na co nie ma lekarstwa. Mam na myśli coś innego niż starość.

Z zaplecza wyjrzał pokaźnych rozmiarów mężczyzna. Podwinięte rękawy jego koszuli odsłaniały grube, włochate przedramiona. Szedł prosto na Rollana.

Za plecami osiłka za kontuar wślizgnął się Mędrek.

Jak się tu dostał? Tylnymi drzwiami? Co mu strzeliło do głowy? Jego przezwisko było żartem, nie komplementem. Przez niego nakryją ich obu! Rollan starał się nie patrzeć na przyjaciela. Zamiast tego skupił uwagę na zbliżającym się mężczyźnie.

– Głupi jesteś? – warknął Aldo. – Zmiataj stąd!

Rollan zaczął się wycofywać w stronę drzwi, jednak starał się nie robić tego zbyt szybko. Musiał opuścić aptekę, ale gdyby uciekł pędem, Mędrek na pewno zostałby przyłapany.

Osiłek podszedł do Rollana, mocno chwycił go za kołnierz i zaczął prowadzić do wyjścia.

– Niech cię tu więcej nie widzę! – ostrzegł.

– Aldo! – zawołał pan Valdez.

Rollan obejrzał się za siebie i zobaczył, jak Mędrek ucieka w stronę tylnych drzwi apteki.

– On ukradł paczkę wyciągu z wierzby! – wykrzyknął aptekarz. – Santos!

Osiłek mocnym szarpnięciem pociągnął Rollana w kierunku zaplecza.

– Wracaj tu, bo twojemu kumplowi się dostanie! – wykrzyknął do Mędrka.

Ten nawet się nie obejrzał. Kiedy Aldo dotarł do tylnego wyjścia, po chłopaku nie było już nawet śladu.

– Santos! – wrzasnął pan Valdez, stając za swoim pomocnikiem. – Gdzie jest Santos?

– Poszedł załatwić tę sprawę, pamięta pan? – przypomniał mu Aldo.

Aptekarz zwrócił na Rollana wzrok pełen furii.

– Cała ta gadanina o odpracowaniu długu była tylko po to, żeby odciągnąć moją uwagę, żeby twój wspólnik mógł się tu zakraść! Tani chwyt, nawet jak na takie szumowiny jak wy!

– Zrobił to na własną rękę, bez mojej wiedzy!

– Daruj sobie, chłopcze – powiedział Aldo. – Pomogłeś w kradzieży, to teraz odsiedzisz swoje.

Rollan kopnął osiłka w kolano, ale ten nawet nie mrugnął okiem. Za to on sam poczuł mocny uścisk na szyi.

– Masz spotkanie na milicji – rzucił pan Valdez.

Rollan wiedział, że nie ma sensu dalej dyskutować. Przynajmniej Ryjec dostanie lekarstwo.

W głównej siedzibie miejskiej milicji znajdował się rząd więziennych cel. Na ich wilgotnych ścianach kwitła pleśń, a kamienną podłogę, poszarzałą ze starości, zaścielała brudna słoma. Cele były oddzielone żelaznymi kratami, dzięki czemu więźniowie widzieli się nawzajem.

Rollan siedział na rozpadającej się macie z wikliny. W pozostałych celach przebywali jeszcze trzej mężczyźni. Jeden z nich był schorowany i wychudły, drugi spał, odkąd Rollan tu trafił, trzeci zaś miał wygląd człowieka, jakich chłopak nauczył się unikać – prawdopodobnie siedział za jakiś poważniejszy występek.

Strażnik poinformował, że jutro Rollan ma stanąć przed sędzią. Chłopak był jeszcze młody, więc istniała szansa, że zostanie odesłany z powrotem do sierocińca. Na samą myśl o tym Rollan poczuł ciarki. W całej Concorbie nie było bardziej bezprawnego i skorumpowanego miejsca. Nadzorca sierocińca prowadził wygodne życie, bo karmił dzieci tak rzadko, jak mógł, zmuszał je do niewolniczej pracy, ubierał jak żebraków i nigdy nie marnował pieniędzy na luksusy w rodzaju lekarstw. Rollan nie bez powodu stamtąd uciekł. Przypuszczał, że jednak wolałby pobyt w więzieniu.

Otworzyły się drzwi na korytarzu i na schodach rozległy się kroki. Czyżby przyprowadzono nowego więźnia? Rollan wstał, żeby lepiej widzieć. Nie, grubawy strażnik, ze szczeciniastą brodą porastającą żuchwę, był sam. Podszedł do celi Rollana, trzymając w ręce księgę rejestrową.

– Ile masz lat? – rzucił.

Czyżby pytanie było podchwytliwe? Czy lepiej podawać się za starszego, czy młodszego? Rollan nie był pewien, dlatego odpowiedział zgodnie z prawdą:

– W przyszłym miesiącu skończę dwanaście.

Mężczyzna zanotował coś w księdze.

– Jesteś sierotą.

– Tak naprawdę jestem zaginionym księciem. I jeśli zabierzesz mnie z powrotem do Eury, mój ojciec sowicie cię wynagrodzi.

– Kiedy uciekłeś z sierocińca?

Rollan się zastanowił i doszedł do wniosku, że nie ma sensu kłamać.

– Miałem wtedy dziewięć lat.

– Przyjąłeś Nektar?

Pytanie było zaskakujące.

– Nie.

– Wiesz, co się może stać, jeśli nie wypijesz Nektaru?

– Więź ze zwierzęciem może powstać w sposób naturalny. – odparł Rollan.

– Właśnie. Zgodnie ze statutem naszego miasta nieprzyjęcie Nektaru w ciągu trzech miesięcy od skończenia jedenastu lat jest wykroczeniem.

– Całe szczęście, że już jestem za kratkami. Chcesz rady? Powinniście ustanowić prawo, zgodnie z którym śmierć jedenastolatków z braku lekarstw też będzie niezgodna z prawem!

Strażnik odchrząknął.

– To nie zabawa, chłopcze.

– Czy ja wyglądam na kogoś, kto się tu bawi? Bawiłeś się kiedyś w samotne-umieranie-z-braku-kosztownej-kory-wierzby? Dopisz po prostu nieprzyjęcie Nektaru do listy zarzutów pod moim adresem. Chciałem tylko, żeby było jasne, że nikt mi tego nigdy nie zaproponował.

– Milicja podaje Nektar wszystkim dzieciom w odpowiednim wieku, które jeszcze go nie przyjęły.

– Powinniście dostawać więcej medali – odparł Rollan.

Strażnik uniósł surowo jeden palec.

– Jeśli masz w sobie potencjał przyzwania zwierzoducha, wydarzy się to i tak, zanim skończysz dwanaście, może trzynaście lat. A wiesz, co może ci się stać bez Nektaru? Więź oznacza ryzyko. Jedni od tego wariują, inni chorują, jeszcze inni padają martwi na miejscu. A niektórym nic nie jest.

– Ale dzięki Nektarowi więź zawsze jest stabilna? – upewnił się Rollan.

– Wprawdzie Wielkie Bestie nie zrobiły dla nas ostatnio zbyt wiele, ale zawsze będziemy mieli dług wdzięczności wobec Ninani. Za Nektar. Jednak żeby skorzystać z jego mocy, należy go wypić.

Rollan parsknął niechętnie.

– Jaka jest szansa, że zdołam przyzwać zwierzoducha? Jedna na sto? Jeszcze mniejsza?

Strażnik puścił jego uwagi mimo uszu.

– Znam kobietę z Zielonych Płaszczy, która się opiekuje sierotami. Przyślę ją tutaj.

Po tych słowach odszedł.

Rollan się przeciągnął, wykonał kilka skrętów tułowia, po czym wysoko uniósł ręce.

– Nie spodziewałem się, że będziemy tu dziś mieli widowisko – odezwał się wtedy wychudły mężczyzna w najdalszej celi. – Jak myślisz, co przywołasz?

– Nic – odparł Rollan.

– Ja też tak sądziłem. Myliłem się. Przywołałem jeża.

– Jesteś z Zielonych Płaszczy? – spytał zaskoczony Rollan.

Mężczyzna prychnął. W jego oczach pojawił się wyraz zagubienia, a postawa zdradzała wyczerpanie.

– Widzisz tu gdzieś płaszcz? Zabili mojego zwierzoducha. Jego nieobecność jest jak... Już wolałbym stracić rękę albo nogę.

Godzinę czy dwie później wrócił strażnik. Towarzyszyło mu dwóch mundurowych milicjantów oraz dziewczyna w zielonym płaszczu. Miała ona ponad piętnaście lat, nie była wysoka. Nie była też szczególnie ładna, ale jej twarz wyglądała sympatycznie.

Strażnik otworzył drzwi do celi i gestem nakazał Rollanowi wyjść na korytarz.

Jeden z milicjantów trzymał małą klatkę. W klatce siedział szczur.

Rollan wyszedł z celi i wskazał szczura skinieniem głowy.

– To jakiś żart?

– Ludzie mówią, że łatwiej nawiązać więź w obecności zwierząt – rzucił z szyderczym uśmieszkiem funkcjonariusz. – Tego tu szczura złapaliśmy parę lat temu. Jest naszą maskotką.

– Bardzo zabawne – skomentował oschle Rollan. – Może złapiemy jeszcze parę pająków? Albo jakiegoś karalucha?

– Ludzie nie tworzą więzi z owadami – powiedziała dziewczyna w zielonym płaszczu. – Choć znane są przypadki przyzwania pajęczaków.

– Założę się o miedziaka, że dzieciak niczego nie przywoła – powiedział więzień, którego zdaniem Rollana należało unikać, i poklepał się po kieszeni. – Zaraz, nie o miedziaka, tylko dwa miedziaki. – Wyjął monety z kieszeni. – Są chętni?

Nikt nie przyjął zakładu.

– To zaczynamy? – spytał Rollan, żeby przerwać niezręczną ciszę.

Dla niektórych dzieci ceremonia przyzwania zwierzoducha była wielką uroczystością. Całe rodziny zakładały odświętne stroje, przybywali goście i widzowie, przygotowywano poczęstunek, wygłaszano przemowy. Rollanowi przypadło w udziale brudne więzienie, szczur, strażnicy i współwięźniowie. Chciał po prostu mieć tę sprawę z głowy.

Dziewczyna wyjęła zwykłą butelkę, odkorkowała ją i podała Rollanowi.

– Wystarczy jeden łyk – poinformowała.

– Niezła przemowa – odparł Rollan, przyjmując naczynie. – Może warto coś do niej dodać, na przykład tak: „jeden łyk, a zwierz przybędzie w mig." Ale to ty jesteś tu uczona.

Wypił łyk Nektaru.

W pewnej tawernie czasem dostawał słodkie tosty z cynamonem. Były to jego ulubione łakocie. Nektar smakował podobnie, tyle że był oczywiście płynny.

Rollan otarł usta. Kiedy dziewczyna sięgnęła, żeby odebrać mu butelkę, zachwiał się, bo poczuł iskry w całym ciele. Nie wiedział, co się z nim dzieje. Dziwnie niepewną ręką wyciągnął butelkę przed siebie. Ledwie dziewczyna ją wzięła, padł na kolana.

– Co mi jest? – wybełkotał.

Po całym więzieniu rozszedł się rumor. W celach pociemniało. A może to on tracił wzrok? Wtem dojrzał oślepiające światło. Płonęło przez chwilę i zaraz zgasło.

W korytarzu nagle pojawił się sokół – duży i potężny, o piórach w kolorze zbrązowiałego złota, nakrapianych biało na piersi. Drapieżny ptak zatrzepotał skrzydłami i usiadł na ramieniu Rollana. W momencie gdy jego pazury uszczypnęły skórę chłopaka, wrażenie iskier w jego ciele ustało.

Wszyscy obecni oniemieli, gapili się bez słowa.

Na krótką chwilę wzrok Rollana stał się niezwykle wyostrzony. Chłopak widział porowatą fakturę kamiennych ścian i posadzki. Dojrzał pająka, kryjącego się pośród pajęczyn w rogu pod sklepieniem, i bardzo wyraźnie wyczuł niepokój obecnych. Potem nagle wszystko wróciło do normy.

– Sokół! – wykrzyknęła dziewczyna. – To białozór... Ma bursztynowe oczy!

– To ona – wyjaśnił Rollan. – Sokolica.

– Skąd wiesz? – zapytał strażnik.

Rollan się zamyślił.

– Po prostu wiem.

– Zgadza się, to chyba powinna być sokolica... – wymamrotała dziewczyna z Zielonych Płaszczy.

Wyglądała tak, jakby ktoś wyrwał ją z transu. Uważnie przyjrzała się Rollanowi.

– Jak to możliwe? Kim ty jesteś?

– Zwykłym sierotą.

– To nie może być cała prawda – mruknęła dziewczyna, bardziej do siebie niż do niego.

– Jestem też przestępcą – dodał Rollan. – Najgorszym z przestępców.

– To znaczy? – zaciekawiła się dziewczyna.

– To znaczy, że dałem się złapać – odparował Rollan.

Dziewczyna zerknęła na strażnika.

– Umieśćcie go z powrotem w celi. Wrócę później.

– Ptaka też do celi? – zapytał strażnik.

– Oczywiście. To przecież jego zwierzoduch.

– Zdaje się, że to mój szczęśliwy dzień – wymamrotał niepokojąco podejrzany więzień. – Nikt nie przyjął zakładu, więc miedziaki zostaną w mojej kieszeni.

Niedługo później strażnik przyprowadził do celi Rollana jakiegoś mężczyznę. Wyglądał on na szlachcica pochodzącego z zagranicy, w dodatku znacznego. Miał na sobie wysokie buty i skórzane rękawice, nosił ozdobny miecz i pięknie wyszywany błękitny płaszcz, który według Rollana kosztował pewnie tyle co dobry zaprzęg. Mężczyzna miał równo przystrzyżony zarost, zakrywający podbródek. Przyjrzał się chłopakowi z zainteresowaniem.

– Chciałbyś się stąd wydostać, Rollanie? – zapytał.

– Pewnie brakowałoby mi tej kłującej maty i tej czarnej mazi oblepiającej kratę. Człowiek czasem nie docenia tego, co ma, póki tego nie straci.

Mężczyzna uśmiechnął się z przekąsem.

– Dlaczego twój płaszcz nie jest zielony?

– Jestem diuk Zerif. Pracuję z Zielonymi Płaszczami, ale nie jestem jednym z nich. Wysyłają mnie, abym pomagał w sprawach takich jak twoja.

– To znaczy?

Zerif zerknął na strażnika.

– Będzie lepiej, jeśli porozmawiamy na osobności. Wpłaciłem za ciebie kaucję.

– Nie mam nic przeciwko temu.

Strażnik otworzył drzwi do celi i Rollan z sokołem na ramieniu wyszedł na korytarz. Opuścił więzienie bez słowa, bez jednego spojrzenia rzuconego współwięźniom. Zastanawiał się, czego diuk mógł od niego chcieć.

Gdy znaleźli się na ulicy, Zerif przyjrzał mu się uważniej.

– Wspaniały ptak.

– Dzięki – mruknął Rollan. – Co dalej?

– Dziś zaczyna się twoje nowe życie. Mamy wiele do omówienia.

– Wpłacenie kaucji nie oznacza ułaskawienia. Co z panem Valdezem?

– Zarzuty zostaną wycofane. Zajmę się tym.

Rollan skinął lekko głową.

– A ta dziewczyna, która podała mi Nektar? Gdzie ona jest? – zapytał.

Zerif posłał mu wyniosły uśmiech.

– Te sprawy wykraczają poza jej umiejętności. Nie odpowiada już za twój przypadek. Chodźmy.

Sokolica boleśnie ścisnęła pazurami ramię Rollana. Chłopak niemal zapomniał o jej obecności. Teraz jednak poczuł niepokój. Dlaczego ptak uszczypnął go w chwili, gdy Zerif mówił o dziewczynie?

– Nic jej nie jest?

Czyżby w uśmiechu Zerifa pojawił się ślad uznania?

– Jestem pewien, że nie.

Zerif kłamał i Rollan to wiedział. Wydawało się, że mężczyzna wręcz podziwia chłopaka za jego przenikliwość. Rollan poczuł niepokojącą pewność, że diuk wyrządził jakąś krzywdę dziewczynie z Zielonych Płaszczy. Kim on właściwie był?

Zerif pospiesznie szedł ulicą.

– Dokąd idziemy? – spytał Rollan.

– Porozmawiać w ustronnym miejscu. A potem, jeśli zechcesz, daleko stąd. Marzyłeś kiedyś, żeby zobaczyć świat? Ten ptak ci to umożliwi.

Tym razem sokolica zaskrzeczała, wystarczająco głośno, żeby przyprawić Rollana o ból uszu.

Zerif przeskakiwał wzrokiem od chłopaka do sokolicy. Jego uśmiech stał się nieco mniej szeroki.

– Nie lubi cię – uświadomił sobie Rollan.

– Tylko sprawdza, jak donośny jest jej głos – odparł diuk. – Nie zrobię ci nic złego.

Rollan gotów był się założyć o dwa miedziaki, że mężczyzna kłamie. W jego głosie brzmiał wprawdzie spokój, ale Zerif ewidentnie grał. No i miał u boku przytroczony spory miecz.

– Co robi ta kobieta? – zapytał Rollan, wskazując przeciwległy kraniec ulicy, i zerwał się do ucieczki w chwili, kiedy Zerif się odwrócił, żeby tam popatrzeć.

W pędzie wpadł w uliczkę, którą dopiero co minęli. Gdy w połowie drogi zaryzykował spojrzenie przez ramię, zobaczył ścigającego go Zerifa. Mężczyzna szarpnął za rękaw szaty, wtedy znak na jego przedramieniu zabłysnął, a potem tuż przed Zerifem wylądowało w biegu stworzenie przypominające psa. Co to było? Kojot?

Rollan miał nadzieję, że wyniosły nieznajomy nie zniży się do pościgu, ale najwyraźniej się pomylił. Kojot stanowił dowód na to, że Zerif był jednym z Naznaczonych. Może nawet należał do Zielonych Płaszczy. Jednak Rollan mu nie ufał, sokolica najwidoczniej też. Wiedział, że musi jak najprędzej zgubić pogoń.

Miał trochę doświadczenia w ucieczkach miejskimi zaułkami. Popędził ile sił, przewracając za sobą skrzynie i kubły na śmieci, żeby zagrodzić drogę ścigającym. Mimo tych starań słyszał, że go doganiają. Wspomnienie zębisk kojota oraz drogocennego miecza Zerifa zmusiły go do jeszcze szybszego biegu.

Rollan skręcił za róg i wpadł w kolejny zaułek. Co jakiś czas mijał drzwi, ale nawet nie próbował ich otwierać. Mogły przecież być zamknięte, poza tym mieszkańcy mogliby nie zechcieć mu pomóc. Gorzkie doświadczenie nauczyło go już, że uciekający sierota ma niewielu przyjaciół. Spojrzał wyżej, szukając sposobu dostania się na dachy, ale niczego pomocnego nie wypatrzył.

Zerif i jego kojot byli coraz bliżej.

Z lewej strony przed sobą Rollan zobaczył płot między budynkami. Skoczył w górę, złapał za krawędź, najeżoną drzazgami, i przerzucił nad nią jedną nogę. Kojot z warknięciem odbił się od ziemi, żeby złapać zębami drugą nogę chłopaka. Rozdarł mu nogawkę spodni i zadrapał skórę, przy czym niemal zrzucił go na bruk.

– Złaź stamtąd! – rozkazał chłopakowi Zerif, biegnąc ku niemu z dobytym mieczem.

Rollan przetoczył się przez krawędź płotu i spadł w chwasty porastające podwórko, w którego kącie stała samotna rudera. Z jej mrocznego wnętrza obserwował go nieprzyjaźnie jakiś mężczyzna w łachmanach. Rollan zerwał się na równe nogi i przebiegł przez podwórze. Obejrzał się w chwili, kiedy był już niemal przy ogrodzeniu z drugiej strony. Kojot pędził w jego kierunku, ale nigdzie nie było widać Zerifa. Czyżby diuk przerzucił swojego zwierzoducha przez płot?

Biegnąc, Rollan przepatrywał nierówną powierzchnię, szukając czegoś, czego mógłby użyć jako broni, nic jednak nie znalazł. Kojot zbliżał się nieubłaganie. Chłopak wiedział, że nawet jeśli zdoła dobiec do ogrodzenia przed zwierzoduchem, na pewno nie zdąży przeskoczyć na drugą stronę, żeby umknąć jego zębom.

Dobiegł do ogrodzenia, podskoczył i oburącz złapał się krawędzi, jakby zamierzał się na nią wdrapać, a potem obrócił się w powietrzu i kopnął kojota w pysk. Kopniak był celny – zwierzę wylądowało ze skowytem na ziemi.

Zanim zdołało się otrząsnąć, Rollan był już po drugiej stronie płotu.

Znalazł się w zaułku szerszym od poprzedniego. Kiedy się zastanawiał, w którą stronę pobiec, zza narożnika wyskoczył Zerif. Poruszał się z nadludzką prędkością – Rollan nie byłby w stanie biec nawet w połowie tak szybko. Zerif okrążył większą część kwartału w czasie, który chłopakowi zajęło przebiegnięcie jednego podwórka. Rollan słyszał kiedyś opowieści o mocach, jakie Naznaczeni potrafili czerpać z więzi ze zwierzoduchami. Jak miał uciekać przed kimś takim? Zawrócił i pobiegł w przeciwnym kierunku.

Gdy chłopak wpadł za następny narożnik, zorientował się, że pędzi prosto na wielkiego mężczyznę w płaszczu w kolorze leśnej zieleni. Mężczyzna dosiadał łosia, ale Rollan nie miał czasu nawet się zastanowić nad jego niezwykłym wyglądem – łoś szarżował wprost na niego. Ogromne łopaty jego poroża były tak rozłożyste, że sięgały niemal na całą szerokość alejki. Dosiadający go siwowłosy jeździec był mocno zbudowany, miał mięsistą twarz, okoloną zjeżoną brodą. W ręce ściskał maczugę, pod jego płaszczem pobrzękiwała kolczuga.

– Z drogi, chłopcze! – zahuczał.

Rollan rzucił się w bok i przylgnął do ściany zaułka. Łoś przegalopował tuż obok.

Nagle Rollan usłyszał krzyk sokolicy i odgłos pazurów drapiących metal – jego zwierzoduch wylądował na dachu tuż nad nim.

Zerif i jego kojot wybiegli zza rogu, jednak obaj zatrzymali się na widok szarżującego łosia. Mężczyzna na łosiu wydał z siebie wojenny okrzyk i uniósł maczugę do ciosu. Zerif z całej siły uderzył barkiem w najbliższe drzwi i wpadł do wnętrza, które było zapewne zapleczem jakiegoś sklepu.

Mężczyzna w zielonym płaszczu zatrzymał się, jakby miał zamiar ruszyć w pościg za diukiem, ale po chwili wrócił do Rollana.

– Jakie podał ci imię? – warknął.

– Kto? On? Zerif.

– Przynajmniej w tym cię nie okłamał. Znasz go?

– Dopiero co go poznałem. Wykupił mnie z więzienia – odparł Rollan.

Mężczyzna zsiadł z łosia.

– Co ci powiedział?

– Niewiele. Chciał mnie stąd zabrać.

– Tak myślałem. Nazywamy go Szakalem przez wzgląd na jego zwierzoducha, szczwane stworzenie pochodzące z Nilo. Zerif pracuje dla naszego największego wroga, Pożeracza.

– Pożeracza? – powtórzył Rollan. Słowa mężczyzny wydawały mu się tak nieprawdopodobne, że niemal się zakrztusił. – Mówisz poważnie? A kim ty jesteś?

– Mam na imię Olvan.

Rollan rzucił okiem na olbrzymiego łosia, potem znów na mężczyznę. Nie, to przecież nie mógł być…

– Ten słynny Olvan? – zapytał szeptem, wstrząśnięty.

– Jeśli masz na myśli przywódcę wszystkich Zielonych Płaszczy, to tak. Ten słynny Olvan.

Sokolica wydała z siebie krzyk i opadła na ramię Rollana, który pogłaskał jej pióra.

Chłopak przez dłuższą chwilę trwał w namyśle, zanim znów się odezwał.

– Wszyscy chcą nagle być moimi przyjaciółmi. I ty, i Zerif zjawiliście się bardzo szybko. Czy chodzi o moją sokolicę?

– To nie jest twoja sokolica, synu. To ta jedyna sokolica. – Olvan pozwolił, żeby znaczenie jego słów w pełni dotarło do Rollana. – Przyzwałeś z powrotem do naszego świata Essix.

5

SZKOLENIE

Abeke siedziała na skraju puchowego łoża. W jej pokoju znajdowały się rzeźbione biurko, fantazyjna sofa, miękko wyściełane krzesła oraz zwierciadło, które – jak sądziła – oprawione było w prawdziwe złoto. Wszystkie te sprzęty były do jej prywatnego użytku. Ludzie wokół traktowali ją z szacunkiem, a służący przynosili jej smaczne posiłki. Lamparcica uczyniła z niej księżniczkę.

Pokój delikatnie się kołysał. Pomyśleć, że podobne luksusy były dostępne na pokładzie statku! Abeke nigdy by w to nie uwierzyła, gdyby nie widziała wszystkiego na własne oczy.

Doceniała dworne traktowanie, ale nie czuła się komfortowo w eleganckiej kajucie – za bardzo różniła się ona od jej domu. Brakowało jej tu nie tylko znajomych twarzy, lecz także znajomych obyczajów.

Zerif nie towarzyszył jej w podróży. W portowych dokach wyjaśnił, że pilne sprawy wzywają go gdzie indziej, i powierzył dziewczynę opiece nieznajomego o imieniu Shane. Abeke straciła już tak wiele, że ta rozłąka naprawdę ją zabolała.

Niespełna tydzień wcześniej Zerif przekonał jej ojca, że Abeke musi opuścić Okaihee nie tylko dla własnego bezpieczeństwa, lecz także dla dobra osady. Pojalo natychmiast się na to zgodził. Jakaś część umysłu Abeke życzyłaby sobie, żeby decyzja była dla jej ojca trudniejsza. Dziewczyna nie mogła przestać się zastanawiać, czy Soamie również tak szybko pozwoliłby odejść.

Za zgodą Pojalo jeszcze tego samego wieczoru Zerif zabrał dziewczynę i Urazę z wioski.

Abeke żałowała, że nie udało jej się przed wyjazdem porozmawiać z Chinwe, która uważała, że dziewczyna zostanie nową Tancerką Deszczu w osadzie. Nowa tancerka była tam niewątpliwie potrzebna, ale w pośpiechu i pod wpływem rad Zerifa Abeke zignorowała potrzeby swojego ludu. Co będzie, jeśli jej nieobecność spowoduje dalszą suszę? Czyżby Abeke unikała własnego przeznaczenia? Czyżby straciła szansę, żeby wreszcie stać się częścią społeczności?

Pomimo komfortu panującego na statku Abeke tęskniła za ojcem i siostrą. W domu wszyscy mieszkali w jednej izbie, wspólnie jadali posiłki. Abeke przywykła nawet do zasypiania przy akompaniamencie chrapania ojca. Na statku każdej nocy zasypiała z trudem. Wszystko tutaj było obce.

Na początku natłok nowych wrażeń nie pozwalał jej tęsknić za domem – najpierw ekscytująca podróż powozem, potem tętniące życiem miasto i morze pełne wody, zbyt słonej do picia, w końcu okręt, na którego pokładzie zmieściłaby się większość mieszkańców jej wioski. Dopiero po postawieniu żagli Abeke poczuła niepokój. Miała dużo czasu na myślenie. Miała czas, żeby zatęsknić za polowaniami na sawannie. I za znajomymi twarzami.

Przynajmniej Uraza była razem z nią. Abeke gładziła lamparcicę po szyi, wywołując kocie mruczenie, którego wibracje łaskotały jej dłoń. Uraza nie odznaczała się szczególną czułością, ale też nigdy nie odrzucała pieszczot dziewczyny.

Rozległo się pukanie do drzwi. To musiał być Shane. Chłopak był – oprócz Urazy – jedynym przyjemnym elementem tej podróży. Pomagał Abeke nawiązać głębszą relację z lamparcicą.

– Wejdź – powiedziała Abeke.

Shane otworzył drzwi. Miał dwanaście lat, więc był o rok starszy od niej. Był blady, lecz przystojny. Odznaczał się mocną budową i spokojną pewnością siebie, którą Abeke w nim podziwiała. Podobnie jak ona, Shane również miał swojego zwierzoducha – rosomaka.

– Gotowa? Idziemy do ładowni? – zapytał.

– Myślałam, że już nie przyjdziesz – odparła Abeke. – Nie przywykłam do zamknięcia w klatce.

Chłopak stał w drzwiach i się jej przyglądał.

– Nie jest łatwo zostawić za sobą wszystko to, co znamy. Ja też musiałem opuścić rodziców. Mój wuj pomagał mnie szkolić. I jego również ze mną nie ma.

– Moja matka zmarła cztery lata temu – zwierzyła się Abeke. – Rozumiała mnie. Mój ojciec i siostra... Z nimi było inaczej. Ale tęsknię za nimi. Wiem, że troszczyli się o mnie, tak samo jak ja o nich.

Wyraz twarzy Shane'a złagodniał.

– Tu też są ludzie, którzy się o ciebie troszczą, Abeke. Widzimy w tobie wielki potencjał. Ci z nas, którzy niosą ciężkie brzemię, znajdują rodzinę tam, gdzie to możliwe. Masz swojego zwierzoducha. Nauczysz się czerpać pociechę z tej więzi. Chodźmy.

Uraza wyszła w ślad za nimi. Mijali żeglarzy i żołnierzy, wszyscy rzucali ukradkowe spojrzenia na lamparcicę. Poruszała się ona z płynną gracją drapieżnika – nikt nie chciał się znaleźć zbyt blisko niej. Nawet najodważniejsi omijali ją szerokim łukiem, inni zaś prędko schodzili jej z drogi. Po zaledwie czterech dniach rejsu Abeke nauczyła się ignorować uwagę poświęcaną Urazie.

Shane przygotował ładownię, którą wykorzystywali jako salę ćwiczeń. Skrzynie, bele i beczki przesunęli na boki, dzięki czemu powstała podłużna, wolna przestrzeń. Nikt im tu nie przeszkadzał.

– Rozmawiałaś z Urazą? – zapytał Shane. – Okazywałaś jej czułość?

– Tak – potwierdziła Abeke.

– Wszystkie zwierzoduchy cechują się nadzwyczajną inteligencją – przypomniał jej chłopak. – A twoja lamparcica jest inteligentniejsza od innych. Nie potrafi mówić, ale to nie oznacza, że cię nie rozumie.

– Wielkie Bestie umiały mówić – powiedziała Abeke, przekraczając próg ładowni. – W każdym razie tak głoszą legendy.

– W czasach Wielkich Bestii Uraza była większa od konia.

– Czy to oznacza, że teraz moja Uraza jest jeszcze kociątkiem? – zapytała Abeke, bo lamparcica wcale nie przypominała młodego kota.

– Zwierzoduchy zawsze zjawiają się jako dorosłe zwierzęta. Trudno zgadnąć, czy Uraza stanie się z czasem taka, jaką była kiedyś. Będziemy musieli poczekać, żeby się o tym przekonać.

Abeke odwróciła się w stronę lamparcicy. Ta spojrzała na nią swoimi fioletowymi oczami.

– Wyczuwasz jej nastrój? – zapytał Shane.

– Nie jestem pewna. – Abeke w skupieniu wpatrywała się w Urazę. – Może jest zaciekawiona?

– Bardzo możliwe. Im dłużej będziesz ćwiczyć, tym lepiej będziesz odczytywać jej emocje. To pierwszy krok do nauczenia się tego, jak w razie potrzeby czerpać energię od zwierzoducha.

– A co ze stanem uśpienia?

Chinwe potrafiła zamienić swojego zwierzoducha w tatuaż na nodze. Ta umiejętność była fascynująca.

– To zależy raczej od Urazy niż od ciebie – wyjaśnił Shane. – Musisz najpierw zdobyć jej zaufanie. Wówczas ona będzie dobrowolnie przechodziła w stan uśpienia, ale przebudzi się tylko wtedy, gdy jej pozwolisz.

– Swojego rosomaka trzymasz w uśpieniu? – zapytała Abeke.

Shane raz dał się uprosić i wstydliwie pokazał jej fragment swojego tatuażu zwierzoducha, który nosił na klatce piersiowej.

– Przez większość czasu. Rennie świetnie się sprawdza w walce, ale źle znosi towarzystwo obcych. Kiedy Uraza się zgodzi, będziesz mogła wybrać miejsce, w którym się pojawi twój tatuaż. Wiele osób dla wygody wybiera przedramię lub wierzch dłoni.

Abeke widziała rosomaka Shane'a tylko raz, kiedy wchodzili na pokład statku. Zwierzoduch był nieduży, ale wyglądał na zawziętego w walce.

Shane uniósł krótki patyk.

– Wczoraj trenowaliśmy łucznictwo i na razie wystarczy. Jesteś w tym dobra, ale nie wyczułem, żebyś dzięki Urazie stała się jeszcze lepsza. Pomyślałem, że dziś powinniśmy spróbować czegoś znacznie trudniejszego. Będziemy udawali, że ten patyk to nóż. Wystarczy, że mnie nim dźgniesz.

Podał Abeke patyk. Ona go wzięła i uklękła przed Urazą. Lamparcica wylegiwała się na podłodze, zwinięta w kłębek. Miała uniesioną głowę, leniwie poruszała długim ogonem. Abeke wpatrywała się w jej idealne, cętkowane futro, czarne plamki wokół jasnych oczu i potężną muskulaturę. Jak to możliwe, że takie silne, dzikie stworzenie stało się jej towarzyszem?

Uraza patrzyła na nią bez mrużenia oczu.

Abeke delikatnie dotknęła jednej z jej łap.

– Jesteśmy teraz drużyną. Czy ci się to podoba, czy nie, znalazłyśmy się z dala od domu, ale przynajmniej mamy siebie nawzajem. Widzę, że nie jesteś zadowolona z pobytu na statku. Ja zresztą też nie. Ale płyniemy do miejsca, w którym znów będziemy mogły spędzać czas na powietrzu. Naprawdę cię lubię. Jesteś cicha, nienatarczywa i pochodzisz z tego samego miejsca co ja. Chcę się nauczyć, jak możemy współpracować.

Uraza zamruczała. Abeke poczuła wewnątrz przyjemny dreszcz. Czy tylko jej się wydawało, czy naprawdę między nimi zaczęła się tworzyć więź? Trudno było mieć pewność.

Odwróciła się do Shane'a.

– Zaczynaj, kiedy będziesz gotowa – powiedział zapraszająco chłopak.

Abeke zrobiła krok naprzód, wyciągając patyk przed siebie. W domu zdarzało jej się używać dzidy, często też ćwiczyła z łukiem. Niewiele jednak wiedziała o walce na noże. Sądziła, że nie jest to zbyt skuteczna broń w starciu z większym i bardziej doświadczonym przeciwnikiem. Nigdy nie stanęłaby do otwartej walki z kimś takim jak Shane. Jej jedyną szansą było zaatakować od tyłu, z ukrycia. Zaskoczenie dałoby jej przewagę i mogłaby wygrać.

To był jednak tylko trening, więc musiała walczyć zgodnie ze wskazówkami Shane'a. Być może gdyby Uraza użyczyła jej trochę swojej drapieżności, to wspomogłoby ją w walce.

Abeke się zbliżyła i zadała szybkie pchnięcie. Shane obrócił się i uderzył ją otwartą dłonią w nadgarstek. Trzy kolejne pchnięcia zakończyły się trzema następnymi ciosami. Abeke nie czuła żadnego wsparcia ze strony Urazy.

– To bez sensu – powiedziała zniechęcona, wycofując się na kilka kroków.

– Musisz tylko...

Abeke skoczyła i dźgnęła z całej siły – chciała zaskoczyć chłopaka. Shane uchylił się i złapał ją za nadgarstek. Siłowali się przez chwilę, a wtedy Abeke w myślach poprosiła Urazę o pomoc. Shane wyłuskał patyk spomiędzy jej palców i dotknął nim jej brzucha.

– Nieźle jak na pierwszy raz – ocenił. – Prawie udało ci się mnie zaskoczyć.

– Gdyby to się działo naprawdę, nigdy bym cię nie zaatakowała w ten sposób – powiedziała Abeke. – Zakradłabym się od tyłu.

Shane pokiwał głową.

– Tak byłoby mądrzej. Poza tym w taki właśnie sposób polują lamparty. Posłuchaj, stanę plecami do ciebie, tam, w drugim krańcu ładowni. Nie odwrócę się, dopóki nie usłyszę niczego podejrzanego. Zgoda?

Abeke bez słowa skinęła głową – w tej grze jej umiejętności musiały się sprawdzić lepiej.

Shane oddał jej patyk i odszedł na koniec pomieszczenia. Abeke przyjęła niską postawę, trzymając swój niby-nóż w pogotowiu. Skradała się krok po kroku, coraz bardziej zbliżając się do chłopaka.

– Ruszyłaś się już? – spytał Shane, stojąc twarzą do ściany. – Jeśli tak, to jesteś w tym niezła. Jeśli nie, to się pospiesz, bo nie mamy całego dnia na ćwiczenia.

Abeke powstrzymała uśmiech. Wiedziała, że potrafi się nieźle skradać. Miło było usłyszeć, jak Shane ją chwali. Obejrzała się przez ramię i zobaczyła, że lamparcica przygląda jej się uważnie, całym ułożeniem ciała wyrażając większe niż wcześniej skupienie.

Drzwi obok Shane'a otworzyły się gwałtownie i na chłopaka rzuciła się jakaś postać. Napastnik był odziany na czarno i zamaskowany. W pogotowiu trzymał szablę. Shane uniknął cięcia i zwarł się z intruzem w uścisku.

– Uciekaj, Abeke! – krzyknął. – To jest zamachowiec! Sprowadź kapitana!

Shane mocował się z większym od siebie napastnikiem, walcząc o przejęcie jego szabli.

Abeke zorientowała się, że kuca w pozycji, która wydała jej się instynktowna. Jej mięśnie wypełniała nieznana energia, każde ich włókno było napięte. Jej zmysły nigdy dotąd nie były równie wyostrzone. Słyszała cichutkie skrzypienie belek kadłuba, towarzyszące delikatnemu przechyłowi statku na prawą stronę. Czuła zapach napastnika, dorosłego mężczyzny, i łatwo mogła go odróżnić od zapachu Shane'a. Również jej wzrok się wyostrzył. Ani myślała usłuchać swojego towarzysza i uciec.

Jej serce wypełniła odwaga. Skoczyła.

Choć znajdowała się o kilka kroków od Shane'a, pokonała ten dystans jednym skokiem. W locie wyprostowała nogę i kopnęła napastnika w ramię. Mężczyzna się obrócił i opadł na jedno kolano. Jego szabla zabrzęczała o deski ładowni. Błyskawicznie zerwał się na równe nogi i jednocześnie uderzył pięścią od dołu, hakowatym ciosem, którego Abeke uniknęła, niemal o tym nie myśląc. Zamachowiec cofnął się o krok, gotów do walki, z jedną ręką uniesioną, a drugą zwisającą bezużytecznie wzdłuż tułowia. Abeke skoczyła na niego i wykonała kopnięcie w żebra. Jej stopa przeszła przez jego blok. Kopniak trafił mężczyznę z taką siłą, że ten uderzył plecami w ścianę, po czym się osunął i padł na twarz.

Instynkt popychał Abeke, żeby dokończyła dzieła, ale zanim zdążyła podejść do napastnika, poczuła na ramieniu stanowczy uścisk ręki.

– Nie! Wystarczy! To było na niby, on tylko udawał.

Dziewczyna otrząsnęła się ze stanu podwyższonej świadomości i wbiła wzrok w Shane'a.

– Udawał?

Uraza zawarczała gniewnie, chociaż nigdy dotąd tak nie robiła.

– Chciałem się przekonać, jak sobie poradzisz pod presją – wyjaśnił Shane. – I udało się, Abeke. To było niesamowite! Wielu spośród Naznaczonych ćwiczy całe życie i nigdy nie zdołają osiągnąć takiej biegłości!

Abeke drżała od powstrzymywanej energii, nie mogła ochłonąć po walce. Pochwała Shane'a nie uszła jej uwadze, ale trudno było się nią cieszyć w stanie tak wielkiego oszołomienia.

– Doprowadziłeś do tego podstępem. To, co nam właśnie zrobiłeś, to zdrada.

– P-przepraszam... – Uśmiech Shane'a zgasł, a jego wcześniejsza ekscytacja ustąpiła miejsca zawstydzeniu. – Naprawdę przepraszam. Starałem się pomóc. To taka metoda szkoleniowa. Nie wiedziałem, że tak to odbierzesz.

– Nigdy więcej – rzuciła Abeke, z trudem zachowując spokój. – Nie rób tego nigdy więcej, inaczej następnym razem pozwolimy, żeby napastnik cię dostał.

– Zgoda. – Shane przeczesał włosy palcami. – Masz rację, to było nieuczciwe wobec ciebie i Urazy. I więcej się nie powtórzy.

Abeke poczuła, jak jej napięcie zaczyna ustępować. Skinieniem głowy wskazała powalonego napastnika.

– Nic mu nie jest?

Shane przykucnął obok mężczyzny i dotknął jego szyi.

– Jest nieprzytomny. Będzie żył. – Pokręcił głową. – Szczerze mówiąc, nie wyobrażałem sobie, że zdołasz powalić wyszkolonego dorosłego mężczyznę. Pozwól, że się nim zajmę. Sama znajdziesz drogę do kajuty.

Abeke się odwróciła i zobaczyła przed sobą Urazę, która zbliżyła się do niej bezszelestnie. Nie mogło już być wątpliwości, że istnieje między nimi niewypowiedziane porozumienie. Abeke wyciągnęła rękę. Poczuła palący ból, zobaczyła błysk światła i Uraza jednym skokiem stała się czarnym tatuażem, tuż poniżej łokcia dziewczyny.

6

WIEŻA ZACHODU

Rollan odchylił głowę do tyłu i jedną ręką przesłonił oczy przed słońcem. Obserwował lot swojej sokolicy, która zatoczyła dwa obszerne kręgi i wzniosła się ponad najwyższą z wież fortecy Zielonych Płaszczy, nazywanej Wieżą Zachodu. Wewnątrz twierdzy znajdowały się sale ćwiczeń i przestronne dziedzińce. Rollan wolał jednak spędzać czas poza murami. W fortecy obserwowało go zbyt wielu ludzi. Jedni patrzyli z powątpiewaniem, inni – z oczekiwaniem. Obie te reakcje budziły w nim niepokój.

Poza tym za murami twierdzy było ładniej. Rollan nigdy dotąd nie widział zielonych wzgórz, lasów i dzikich łąk, choć zdarzało mu się oglądać ziemie uprawne leżące poza granicami Concorby. W jego rodzinnym mieście było tylko kilka parków, trochę podwórek i placów zarośniętych chwastami oraz błotniste brzegi rzeki Sipimiss – Concorba była ośrodkiem portowym, a więc przede wszystkim miejscem handlu.

Wieża Zachodu – imponujące skupisko surowych budynków, otoczone wysokimi murami z kamienia – nie była główną twierdzą Zielonych Płaszczy w Amayi. Stanowiła najbardziej wysunięty na zachód posterunek w Amayi Północnej. Dalej rozciągały się nieujarzmione ziemie, należące do dzikich bestii oraz amayańskich plemion.

Rollan zagwizdał.

– Essix, do mnie!

Ptak szybował nadal, niesiony prądami powietrza.

– Essix, wracaj!

Sokolica zatoczyła leniwie kolejny okrąg.

– Chodź tu! Nie rozumiesz prostych poleceń? Nawet najgłupszy dzieciak to potrafi!

Popełnił błąd. Essix celowo odleciała dalej. Rollan starał się uspokoić. Takie gniewne okrzyki mogły tylko spowodować – zdążył się już o tym przekonać – że ptak będzie krążył po niebie przez cały dzień.

– Essix, no proszę! – zawołał, tym razem łagodniej. – Olvan chce, żebyśmy się nauczyli działać razem!

Sokolica złożyła skrzydła i spadła ku chłopakowi jak pocisk. Rollan wyciągnął rękę, osłoniętą dużą, brązową rękawicą, którą dostał od Olvana. Essix pikowała przez moment z oszałamiającą prędkością, po czym w ostatniej chwili rozpostarła skrzydła, żeby zwolnić, i wylądowała na przedramieniu chłopaka.

– Grzeczna dziewczynka – powiedział Rollan i pogłaskał jej pióra. – Chcesz spróbować uśpienia? Chcesz się stać tatuażem na moim ramieniu?

Nie musiał znać mowy ptaków, żeby zrozumieć, że przeszywający krzyk sokolicy oznacza stanowczą odmowę. Zacisnął zęby.

– No spróbuj, Essix. Przecież nie chcesz, żeby pozostali pomyśleli, że jesteśmy do niczego. Pokażmy wszystkim, na co nas stać.

Sokolica przekrzywiła głowę, żeby spojrzeć na niego bursztynowym okiem. Zatrzepotała lotkami, ale nie wydała żadnego głosu.

– Hej, chodzi nie tylko o mnie – ciągnął Rollan. – O tobie też to źle świadczy.

Za jego plecami rozległ się dźwięk rogu, któremu zaraz odpowiedział drugi. Członkowie Zielonych Płaszczy z Wieży Zachodu mieli w zwyczaju oznajmiać swoje przybycie i odejście dęciem w rogi.

– To chyba znaczy, że już są – powiedział Rollan.

Essix wskoczyła mu na ramię.

Wczoraj Olvan poinformował, że dwie z pozostałych trzech Poległych Bestii znajdują się w drodze do Wieży wraz z ludźmi, z którymi się związały. Obiecał, że po ich przybyciu Rollan dowie się więcej o tym, czego od niego oczekiwano. Jak dotąd Olvan zawsze znajdował jakiś powód, żeby nie udzielić mu wyjaśnień.

Rollan zastanawiał się, czy pozostałe dzieci złożyły już śluby Zielonych Płaszczy. Olvan mówił, że gdyby chłopak się na to zdecydował, musiałby poświęcić całe swoje życie sprawie obrony Erdas oraz przymierzu z Zielonymi Płaszczami. W zamian otrzymałby pomoc w rozwijaniu więzi z Essix, zyskałby obowiązki i cel w życiu, poza tym nigdy więcej nie zabrakłoby mu pożywienia, schronienia ani towarzystwa.

Rollan nie czuł się przekonany.

Powrót Czworga Poległych miał być wielkim wydarzeniem, ale Olvan nie wyjaśnił mu, jaka dokładnie miała być ich rola. Jak długo jeszcze każe mu na to czekać?

Dzięki Essix Rollan wyrwał się z życia w biedzie. Zadawał sobie pytanie, czy powinien związywać się z kimkolwiek na stałe. Nigdy nie lubił słuchać rozkazów, a jego zdaniem ludzie posiadający władzę najczęściej jej nadużywali. Kto wie, jakie możliwości stały przed nim otworem teraz, kiedy na jego ramieniu siedziała Essix? Możliwe, że przyjęcie ślubów Zielonych Płaszczy okaże się najlepszym wyjściem, zwłaszcza biorąc pod uwagę fakt, że stał się teraz celem dla takich ludzi jak Zerif. Jednak Rollan nie miał dotąd czasu, żeby na spokojnie rozważyć wszystkie możliwości. Zamiast odmówić Olvanowi, poprosił go więc o czas do namysłu. Było to trzy dni temu.

Kiedy Rollan brodził w wysokiej trawie, kierując się w stronę bramy Wieży Zachodu, w polu jego widzenia pojawił się członek Zielonych Płaszczy, dosiadający potężnego konia. Przy jego jednym boku szła dziewczyna, przy drugim zaś wędrował chłopak. Dziewczynie towarzyszyła panda, a przy chłopaku biegł duży wilk. Wszyscy zmierzali w stronę Rollana, więc i on przyspieszył kroku. Wiedział, że panda i wilk muszą być dwiema Wielkimi Bestiami z Czworga Poległych.

Gdy ponury mężczyzna podjechał bliżej, zsiadł z wierzchowca i zmierzył Rollana wzrokiem. Należał do tego rodzaju nieznajomych, jakich Rollan nauczył się unikać na ulicach Concorby.

Chłopak towarzyszący wojownikowi także nosił zielony płaszcz, co oznaczało, że złożył śluby. Miał przyjazne, otwarte spojrzenie człowieka, którego życie niewiele dotąd nauczyło. Z kolei dziewczyna była uderzająco piękna. Miała lśniące, zielone oczy i nieśmiały uśmiech, pod którego wpływem Rollan całkiem stracił wątek. Wyraz jej twarzy zdradził mu, że doceniła jego reakcję, i wtedy właśnie Rollan zdał sobie sprawę, że jej nieśmiały uśmiech był wyćwiczony. Na podstawie jej ubioru i rysów twarzy dziewczyny doszedł do wniosku, że pochodziła ona z Zhong, co miało sens, zważywszy na gatunek jej zwierzoducha. Rollan nigdy wcześniej nie widział prawdziwej pandy. Ani wilka. Znał je jedynie z książki z obrazkami pewnej wdowy, która czasami odwiedzała sierociniec i czytała dzieciom o Wielkich Bestiach.

– Jestem Tarik – przedstawił się mężczyzna. – Ty pewnie masz na imię Rollan?

– A starałem się być taki dyskretny – wypalił Rollan. – Skąd wiedziałeś? Pewnie to sokolica mnie zdradziła, co?

– Meilin, Conorze, poznajcie Rollana – powiedział Tarik. – Urodził się i wychował tutaj, w Amayi. Podobnie jak wy przywołaliście Jhi i Briggana, on przyzwał Essix.

Wilk zrobił parę kroków naprzód, a sokolica sfrunęła z ramienia Rollana i stanęła tuż przed nim. Kiedy zbliżyła się również panda, Essix cicho zaskrzeczała. Zwierzęta ostrożnie badały się nawzajem.

– Czy one pamiętają? – spytała Meilin. Miała miły głos, który pasował do jej wyglądu.

– Być może – powiedział Tarik. – Trudno stwierdzić, ile pamiętają ze swojego poprzedniego życia. Na tym etapie spora część ich zachowań może być instynktowna.

– A co z czwartą z Poległych Bestii? – spytał Rollan. – Co z Urazą?

Tarik zmarszczył czoło.

– Ktoś dotarł do Urazy i jej nowej towarzyszki przed nami. Zerif próbował podobnej sztuczki z tobą. Dziewczyna ma na imię Abeke, pochodzi z Nilo. Nie znamy miejsca jej pobytu, ale nie spoczniemy, póki jej nie znajdziemy. Lenori uważa, że zarówno ona, jak i Uraza nadal żyją. Odszukanie ich będzie jednak sporym wyzwaniem.

– Czy znaleźliście nas dzięki Lenori? – zapytał Conor.

Tarik pokiwał głową.

– Lenori jest najbardziej uzdolnioną wróżbitką wśród Zielonych Płaszczy. Dzięki jej wyjątkowym talentom zaczęliśmy podejrzewać, że Czworo Poległych powróci.

– Jej moce nie mogą być aż tak szczególne – zauważył Rollan. – W końcu ktoś was uprzedził i dotarł do dziewczyny z Nilo przed wami.

– Jeśli Uraza zaginęła, my we trójkę musimy reprezentować Czworo Poległych – skomentowała Meilin. – Czy teraz, kiedy jesteśmy razem, nie powinniśmy się wreszcie dowiedzieć, co się właściwie dzieje?

– To może zdradzić wam jedynie Olvan – odpowiedział Tarik. – Jak już wiecie, chcemy, abyście wstąpili do Zielonych Płaszczy i pomogli nam chronić Erdas.

– Przed Pożeraczem? – zapytał Rollan, nawet nie próbując ukrywać sceptycyzmu.

Jego pytanie zbiło Tarika z tropu.

– Kto ci powiedział o Pożeraczu?

– Taki jeden – odparował Rollan. – Dosiadał łosia.

– Nadal nie jesteśmy pewni, z jakim wrogiem mamy do czynienia. Jeśli nie jest to sam Pożeracz, musi to być ktoś bardzo do niego podobny. Olvan pewnie niedługo wyjaśni, dlaczego potrzebujemy waszej pomocy. Na razie powinniście wykorzystać okazję, żeby się lepiej poznać. W nadchodzących dniach będziecie się często widywali. Pojadę naprzód, żeby obwieścić nasze przybycie.

– Będą się na was gapić – ostrzegł pozostałą dwójkę Rollan, kiedy Tarik odjechał. – Odkąd się tu znalazłem, ludzie niczego innego nie robią. Z początku się martwiłem, że może mam na twarzy resztki jedzenia.

– Ludzie zazwyczaj przyglądają się nowo przybyłym – powiedziała Meilin. – Zwłaszcza osobom ważnym.

– Zdaje się, że jesteśmy ważni za sprawą naszych zwierząt – wtrącił Conor. Jego głos zdradzał, że sam nie jest pewien, czy w to wierzyć.

Rozmowa się urwała. Conor wyglądał na zmieszanego.

Rollan szybko ocenił dwoje przybyszów i ich zwierzoduchy. Największe wrażenie robił Briggan. Rollan znał w Concorbie kilka osób, które chętnie by postraszył tym wielkim wilkiem. Panda spokojnie sobie siedziała i grzebała w trawie. Conor wyglądał na nieśmiałego, a Meilin nie okazywała żadnego zainteresowania kolegami.

– Wyglądasz na bogatą – zauważył Rollan.

– Bogactwo jest rzeczą względną – odpowiedziała dziewczyna, rzucając mu zimne spojrzenie. – Cesarz ma znacznie większy majątek niż mój ojciec.

Rollan zaśmiał się pod nosem.

– Jeśli przykładem osoby bogatszej od twojego ojca jest cesarz Zhong, musisz być nadziana.

– Mój ojciec jest generałem. Do mojego rodu należy też wielu kupców cieszących się sukcesami.

– Właśnie mówię, że jesteś nadziana – podsumował Rollan. – A ty, Conor? Masz rodzinę? Albo ród?

Conor zarumienił się lekko. Zerknął spod oka na Meilin.

– Mam rodzinę. Chyba mamy też rody, ale nie używamy tego słowa. Jesteśmy pasterzami. Przez jakiś czas byłem służącym, ale zawsze wolałem życie i prace na powietrzu.

– Ja jestem sierotą – wypalił prosto z mostu Rollan. – Jestem tu tylko dlatego, że Essix załatwiła mi wyjście z więzienia.

– Z więzienia?! – wykrzyknął Conor. – Co zrobiłeś?

Rollan się upewnił, że oboje uważnie go słuchają, po czym nachylił się w ich kierunku.

– Tak naprawdę byłem niewinny, ale nie potrafiłem tego udowodnić. Aresztowali mnie za kradzież lekarstwa z apteki.

– Byłeś chory? – zapytał Conor.

– Mój przyjaciel miał paskudną gorączkę. Ale to nie ja zwędziłem lek, tylko mój kolega. Byłem przy tym, więc uznali, że brałem udział w kradzieży.

– W którym miejscu kłamiesz? – zapytała Meilin. – Że byłeś w więzieniu czy że trafiłeś tam za kradzież leku?

Rollan wzruszył ramionami.

– Przyłapałaś mnie. Tak naprawdę jestem synem Olvana. Szpieguję was na jego polecenie.

Meilin nie zadawała więcej pytań, ale Rollan wyraźnie widział, że dziewczyna mu nie ufa. Może nie była taka całkiem głupia. Jego historia brzmiała w końcu dość nieprawdopodobnie. Na plus ocenił także to, że Meilin nie nosiła jeszcze Zielonego Płaszcza.

Conor spojrzał ponad ramieniem Rollana w stronę Wieży Zachodu.

– Jak myślisz, czego od nas chcą?

– Może powinieneś był zadać to pytanie, zanim włożyłeś ten płaszcz – zasugerował mu Rollan.

– Zapewne chcą nas wykorzystać jako żołnierzy – powiedziała Meilin. – Albo jako dowódców. Wojna już się rozpoczęła.

– Mogę się założyć, że mamy być maskotkami – rzucił Rollan. – Pewnie dodadzą mój wizerunek do flagi Amayi.

Conor się zaśmiał i zaczerwienił jednocześnie.

– Wyobrażasz to sobie? Tak jakby cała uwaga, jaką nam poświęcają, nie była wystarczająco krępująca…

– Kiepska pora na żarty – mruknęła Meilin. W jej oczach płonął ogień. – Zhong zostało zaatakowane przez znaczne siły. Zielone Płaszcze przemyciły mnie z miasta, w którego obronie walczył mój ojciec. Nadal nie wiem, czy on zginął, czy przeżył! Cokolwiek tu dla nas zaplanowali, lepiej, żeby to był dobry plan.

Rollan popatrzył na nią nieufnie.

– Nie wiem, jak bardzo będę mógł być pomocny – stwierdził. – Macie może jakieś wskazówki, jak należy się obchodzić ze zwierzoduchami? Essix prawie wcale mnie nie słucha.

– Próbuję ćwiczyć z Brigganem – powiedział Conor, kucając obok swojego wilka. – Ale on potrafi być strasznie uparty. Im lepiej się poznajemy, tym jest łatwiej. Tarik mi mówił, że po pewnym czasie będziemy mogli czerpać moce od naszych zwierzoduchów.

Rollan zerknął na Meilin i jej pandę.

– Jaka będzie twoja moc? Tulenie?

Twarz Meilin przypominała bryłę lodu. Przez chwilę dziewczynie drżały wargi, ale jej oczy zaraz zapaliły się gniewem. Wyciągnęła rękę i w błysku światła Jhi stała się znakiem na wierzchu jej dłoni. Potem Meilin się odwróciła i odmaszerowała.

– Hej, zaczekaj! – zawołał za nią Rollan. – Jak się tego nauczyłaś?!

– Za późno – powiedział cicho Conor. – Nie znam Meilin długo, ale wiem już, że ona ma niezły temperament.

– Ty też to potrafisz? – dopytywał się Rollan. – Tę sztuczkę z tatuażem?

– Jeszcze nie – przyznał Conor.

Rollan pogłaskał pióra Essix.

– Przynajmniej nie tylko my uczymy się powoli.

Kiedy Rollan wymknął się ze swojego pokoju, Wieżę Zachodu spowijały cisza i ciemność. Czekał i nasłuchiwał na korytarzu przy drzwiach. Miał gotowe odpowiedzi na wypadek, gdyby zauważył go jakiś strażnik: nie mógł zasnąć, poczuł się głodny...

Nikt go jednak nie zatrzymał.

Rollan zerknął jeszcze do pokoju na Essix, która drzemała w pobliżu okna. Ostrożnie zamknął drzwi. Wiedział, że dzięki otwartemu oknu sokolica z łatwością do niego dołączy. Mogła się nie zgadzać z podjętą przez niego decyzją, dlatego też nie starał się jej niczego tłumaczyć. Ale musiała za nim podążyć – byli ze sobą związani.

Korytarz oświetlały małe lampki oliwne o wolno palących się knotach. Skradając się bardzo ostrożnie, Rollan miał poczucie winy intruza. Późna pora mogła oznaczać, że nie spotka nikogo po drodze, ale był pewien, że gdyby tak się jednak stało, jego nocna wycieczka wyglądałaby szczególnie podejrzanie. Im bardziej zbaczał z trasy prowadzącej do kuchni, tym bardziej czuł się odsłonięty. Jak mógłby wyjaśnić, dlaczego zmierza w stronę bramy zamku, w dodatku w pełni ubrany i z tobołkiem podróżnym? I niby dlaczego miałby być głodny, skoro miał tobołek pełny skradzionego jedzenia? Odpowiedzi przygotowane przez Rollana wydawały się mało wiarygodne, na przykład, że nie mógł się odprężyć, czuł się, jakby był zamknięty w klatce i koniecznie potrzebował łyku świeżego powietrza. Prawdę musiał odgadnąć każdy, kto miał choćby odrobinę rozumu.

Rollan uciekał.

Ta myśl wywołała w nim ukłucie wyrzutów sumienia, które starał się zlekceważyć. Przecież się nie dopraszał, żeby trafić do Wieży. Olvan obiecał obronić go przed Zerifem, ale kto mógł obronić go przed Olvanem? Rollan wiedział, że teoretycznie jest gościem Zielonych Płaszczy, jednak zaczynał się czuć raczej jak więzień. Oczywiście wszyscy odnosili się do niego uprzejmie i z uśmiechem, ale oczekiwania Zielonych Płaszczy pętały go jak łańcuchy. Jak długo potrwałaby ich przyjaźń, gdyby Rollan przestał wykonywać rozkazy? Albo gdyby został tej nocy przyłapany?

Wcześniej tego dnia poprowadził Meilin i Conora do fortecy, gdzie rzeczywiście spotkały ich dziesiątki wymownych spojrzeń. Gospodarze pomogli przybyszom urządzić się w kwaterach, nie zdradzili im jednak żadnych nowych informacji. Rollan zadał kilka pytań, na które otrzymał wymijające odpowiedzi. Tego wieczoru uznał, że wystarczająco długo czekał na szczegółowe wyjaśnienia. Im dłużej przebywał wśród Zielonych Płaszczy, tym jaśniejsze się stawało, że oczekują od niego złożenia ślubów na całe życie, aby móc wykorzystać jego sokolicę. Wraz z przybyciem Conora i Meilin presja, którą na niego wywierano, mogła się tylko zwiększyć. Każdy kolejny dzień spędzony w twierdzy mógł zaś sugerować, że Rollan zamierza dołączyć do Zielonych Płaszczy. Jeśli chciał uciec, musiał działać natychmiast.

Oprócz głównej bramy Rollan wypatrzył w zewnętrznym murze trzy inne wyjścia. Wszystkie były solidnie wzmocnione i zamaskowane od zewnątrz. Rollan się domyślał, że można je było otworzyć jedynie od środka. W ciągu minionego tygodnia sprawdził wszystkie trzy wyjścia. Wiedział już, z którego skorzystać.

Nagle zamarł, ponieważ w oddali usłyszał odgłosy rozmowy. Nie był w stanie rozróżnić słów, ale nie wychwycił w nich nuty niepokoju. Najprawdopodobniej to strażnicy pilnujący wrót na dziedziniec starali się pogawędką zabić czas na warcie. Oni nie stanowili przeszkody. Z głównego budynku na dziedziniec prowadziło zbyt wiele wyjść, żeby strażnicy zdołali upilnować ich wszystkich. W Amayi nie toczyła się przecież wojna, a każdy człowiek musiał czasem spać.

Rollan poruszał się ostrożnie, ale szybko. Szedł w stronę drzwi mających wyprowadzić go z zamku. Gdzieś przed nim rozległ się głos:

– Daj spokój, Briggan! Nie chcesz ani jeść, ani wyjść na dwór. Czy to nie może poczekać do rana?

Conor! Dlaczego on nie spał? Rollan skrył się w bocznym korytarzu, choć nie miał pojęcia, dokąd on prowadzi. Minął narożnik i się zatrzymał, nadstawiając ucha. Wilka ledwo było słychać, ale Conor nawet się nie starał poruszać cicho. Był coraz bliżej.

Rollan pokonał w szybkim tempie kilka następnych zakrętów korytarza. Na jego końcu zatrzymały go zamknięte drzwi. Starał się oddychać cicho i nasłuchiwał odgłosu kroków Conora z Brigganem. Musieli w końcu zmienić kierunek! Dlaczego mieliby iść ślepym zaułkiem?

Chyba że wilk go tropił.

Rollan skrzyżował pospiesznie ramiona na piersi i oparł się o drzwi. Miał nadzieję, że wygląda na kogoś, kto po prostu zwiedza zamek. O tej godzinie było to mało prawdopodobne, ale przecież Conor nie sprawiał wrażenia geniusza.

Chłopak zjawił się po chwili z Brigganem u boku. Wilk się zatrzymał i spojrzał wprost na Rollana. Conor mrużył oczy, wyglądał na zmęczonego i zaspanego.

– Rollan? Co ty tu robisz?

– Nie mogłem zasnąć. Postanowiłem pozwiedzać zamek. A ty czemu jeszcze nie śpisz?

Conor ziewnął i się przeciągnął.

– Próbowałem, ale Briggan drapał w drzwi.

Rollan zerknął na wilka, który przysiadł na zadzie, otworzył pysk i wystawił język.

Conor zmarszczył nos.

– Co tu właściwie jest do zwiedzania? Knujesz coś?

– No dobra – zaczął Rollan, jakby zamierzał niechętnie się przyznać. – Essix gdzieś poleciała i jeszcze nie wróciła. Chcę się upewnić, że nic jej nie jest.

– I po to tu przyszedłeś? To ślepy zaułek – zauważył Conor.

– Zgubiłem się.

– I dlatego oparłeś się o drzwi?

Rollan szukał gorączkowo odpowiedzi. Może Conor wcale nie był taki głupi.

– Usłyszałem, jak nadchodzisz. Zrobiło mi się wstyd. Nie chciałem, żeby ktoś wiedział, że zgubiłem drogę. Naprawdę martwię się o Essix.

Conor ściągnął brwi.

– Skoro tak, to powinniśmy powiedzieć o tym Olvanowi. Na pewno ma wielu ludzi, którzy mogliby pomóc ją znaleźć.

Rollan się zawahał. Jego wymówka była słaba, ale i tak bardziej prawdopodobna niż tłumaczenie, że szedł do kuchni, która była przecież w drugiej części zamku.

– Masz rację. Weź Briggana i idź powiedzieć Olvanowi. Ja na wszelki wypadek zacznę jej już szukać.

Conor zerknął na tobołek.

– Co masz w tej torbie?

– Jedzenie dla sokolicy. No wiesz... na przynętę.

Conor zmierzył go spojrzeniem.

– Spory worek jak na przynętę.

Rollan westchnął i skapitulował.

– Słuchaj, nie mów nic Olvanowi. Essix nie zginęła. Po prostu... po prostu rozważam zmianę miejsca pobytu.

– Chcesz uciec? – prychnął z niedowierzaniem Conor, a Briggan przekrzywił łeb.

– Chcę się wymknąć – poprawił go Rollan.

– Nie jesteś tu więźniem – zauważył Conor.

– Nie jestem tego taki pewny! Myślisz, że pozwoliliby mi odejść? Tak po prostu? Z Essix na ramieniu?

Conor zastanowił się krótko.

– Gdybyś się uparł, to tak.

– A skąd możesz wiedzieć? Przyłączyłeś się do nich w chwili, kiedy na zanętę pokazali ci płaszcz!

– Przyłączyłem się do nich, kiedy zrozumiałem, że przyzwałem Briggana – odparł Conor tonem obrony. – Nie prosiłem o własną Wielką Bestię, ale stało się. Zielone Płaszcze potrzebują mojej pomocy, żeby bronić świata.

– Przed czym? – spytał Rollan. – Nadal nam tego nie wyjaśnili! Znamy wieści o wojnie w Zhong, słyszymy pogłoski o Pożeraczu. Ludzie, których nigdy wcześniej nie widziałem, patrzą na mnie z nadzieją, a ja nie mam pojęcia, czego ode mnie oczekują. Nawet jeśli moja sokolica to naprawdę Essix ze starych legend, w jaki niby sposób mamy zaradzić wojnie? W legendach Essix była ogromna i umiała mówić, a moja sokolica nawet mnie nie lubi!

– Ciekawe czemu? – powiedział Conor, a Briggan kiwnął łbem.

Czyżby wilk się z nich śmiał?

– Uważaj, pastuchu. – Rollan się najeżył. – Może lubisz, kiedy traktują cię jak owcę, ale to nie dla mnie.

– Cóż, ja przynajmniej nie uciekam tylko dlatego, że się boję – syknął gniewnie Conor. – Myślisz, że mnie jest łatwo? Myślisz, że nie mam wątpliwości? Myślisz, że chcę tkwić w jakimś zamku za morzami, z dala od domu? I możesz mnie do woli nazywać pastuchem. Pasanie owiec wymaga znacznie więcej odwagi i umiejętności niż wymykanie się cichcem po nocy!

Rollan poczuł, że brakuje mu argumentów. Jeśli Conor współpracował z Zielonymi Płaszczami pomimo własnych wątpliwości, ponieważ uważał, że tak trzeba, Rollan naprawdę nie mógł mu nic zarzucić. Ale nie musiał się do tego przyznawać.

– Po prostu potrzebuję trochę przestrzeni – odparł cicho, gdy postanowił, że na szczerość trzeba odpowiedzieć szczerością. – Jak mam to wszystko przemyśleć, skoro zewsząd otaczają mnie członkowie Zielonych Płaszczy? Każdy posiłek zjedzony z nimi, każdy uścisk dłoni jest jak próba nakłonienia mnie, żebym się do nich przyłączył. Jak mam w takich warunkach podjąć samodzielną decyzję? Oni pewnie nie są złymi ludźmi. Nie jestem jednak przekonany, czy ich zainteresowanie mną wykracza poza zainteresowanie moją sokolicą. A to oznacza, że chcą mnie wykorzystać. Dlatego jestem ostrożny.

– Rozumiem, o czym mówisz – odpowiedział Conor. – Na mnie też nikt nie zwracał uwagi do czasu, aż pojawił się Briggan. Wtedy nagle znalazłem się w centrum zainteresowania.

– I nie zastanawiasz się, co kieruje ludźmi Olvana?

Conor skinął lekko głową, a wilk wpatrzył się w niego z uwagą.

– Może i tak. Ale jestem przekonany, że oni starają się chronić Erdas. Potrzebują Briggana, a więc potrzebują też mnie. Poza tym Briggan chyba im ufa.

Wilk zamerdał ogonem i wstał z miejsca.

Rollan spojrzał w głąb korytarza za Conorem.

– Jakąkolwiek decyzję bym podjął, ucieczkę mogę chyba uznać za nieudaną. Zamierzasz mnie wydać?

– Przecież nic nie zrobiłeś – odparł Conor, patrząc mu prosto w oczy.

Rollan opuścił głowę i potarł czoło.

– Chyba mógłbym zostać po to, żeby poznać szczegóły.

– Pewnie wtedy mógłbyś dokonać lepszego wyboru – zauważył Conor.

– Tylko że nasi gospodarze będą w dalszym ciągu próbowali mnie zwerbować. Ale nie dam się do niczego zmusić. I nie będę się przejmował, jeśli sytuacja stanie się niezręczna. Mogą mnie nawet zamknąć. A jeśli to zrobią, będę wiedział, że dokonałem właściwego wyboru.

Conor się przeciągnął i ziewnął tak szeroko, że niemal odpadła mu żuchwa.

– Cieszę się, że na razie nas nie opuścisz. Nie chciałbym zostać sam z Meilin.

Rollan uśmiechnął się kpiąco.

– A co, boisz się jej?

Conor wzruszył ramionami.

– Mam dwóch braci. Nic nie wiem o dziewczynach.

– Podobno są trochę jak kwiaty.

– Skoro tak mówisz.

Conor odwrócił się i klepnął po udzie.

– Chodź, Briggan – rzucił. – Idziemy spać. Dobranoc, Rollan.

– Dobranoc.

Rollan patrzył za Conorem, aż ten zniknął mu z oczu. Rozważał możliwości, które mu pozostały. Pewnie nadal zdołałby uciec, ale jakoś stracił na to ochotę.

Ruszył z powrotem do swojego pokoju. Jego potajemna ucieczka została wprawdzie udaremniona, ale jeszcze nie wszystko było stracone. Zawsze mógł przecież wymknąć się kiedy indziej.

7

DRUŻYNA

Kiedy Meilin szła do sali ćwiczeń, wpatrywała się w nią niemal każda z napotkanych osób. Niektórzy ludzie robili to ukradkiem, inni zaś wbijali w nią oczy zupełnie bez skrępowania. Na widok dziewczyny rozmowy urywały się w pół słowa, a kiedy przeszła ona dalej, goniły ją szepty. Te nieliczne osoby, które się w nią nie wpatrywały, zerkały ostrożnie lub machały do niej nieśmiało, co było jeszcze bardziej wymowne. Rollan miał rację. Członkowie Zielonych Płaszczy mieli wobec niej jakieś plany.

Meilin weszła do obszernej, przewietrzonej sali. Zastała tam Conora i jego wilka. Sala ćwiczeń wydawała się wręcz za duża, znacznie większa niż pomieszczenia, w których szkolili ją jej mistrzowie. Dziewczyna odgadła, że wysokie sklepienie przewidziano z myślą o tych członkach Zielonych Płaszczy, których zwierzęcy towarzysze latali.

– Miło cię widzieć – odezwał się Conor, z zażenowaniem drapiąc się po ramieniu. – Zaczynałem się już martwić, że jestem w niewłaściwym miejscu.

– Dostałam wiadomość podczas śniadania. Miałam stawić się tutaj razem z Jhi zaraz po posiłku.

Conor pokiwał głową.

– Ze mną było tak samo. Po przeczytaniu wiadomości ledwo mogłem cokolwiek przełknąć. Nie umiem, to znaczy nie za dobrze umiem czytać, musiałem więc poprosić kogoś o pomoc. – Zaczerwienił się. – Myślisz, że to jakaś próba?

– Raczej ocena naszych możliwości.

Conor zerknął na Briggana, potem znów na Meilin.

– Jhi śpi pewnie na twojej ręce?

– Wygląda na to, że tam właśnie woli przebywać.

Chłopak skinął głową i nagle zdał sobie boleśnie sprawę z faktu, że nie wie, co dalej mówić. Przykucnął i pogłaskał Briggana. Meilin patrzyła na Conora, a on unikał jej spojrzenia. Był prostym, niewykształconym i nisko urodzonym chłopakiem, mimo to pod pewnym istotnym względem jej dorównywał – przyzwał jedno z Czworga Poległych. Dlaczego właśnie on? Czyżby przez czysty przypadek? Jeśli tak, to dlaczego ona? Czy zwykły przypadek mógł wskazać kogoś równie doskonale przygotowanego do roli przywódcy?

Do sali wszedł Rollan z sokolicą na ramieniu.

– Spóźniłem się?

Conor spojrzał na niego z wyrazem ulgi widocznym na twarzy.

– Dobrze, że jesteś.

Między dwoma chłopakami istniała jakaś nić porozumienia. Czyżby Meilin coś ominęło? Czy Conor i Rollan rozmawiali o niej na osobności? Zhong znajdowało się w stanie wojny i nie chciała tracić czasu na rozważania nad tak trywialnymi sprawami. Mimo to nie mogła przestać o tym myśleć, a to ją irytowało.

– Nikt więcej nie przyszedł? – zapytał Rollan.

– Na razie nie – odparł Conor.

Rollan przyglądał się broni na stojakach pod ścianami. Były tam miecze, szable, noże, włócznie i broń drzewcowa, topory, kije i maczugi.

– Każą nam walczyć na śmierć i życie?

– Nie będzie to aż tak ekscytujące – powiedział Tarik, wchodząc do sali wraz z dwoma innymi mężczyznami i jedną kobietą.

Wszyscy nosili zielone płaszcze. Z niezwykłym zainteresowaniem zaczęli się przyglądać Brigganowi i Essix.

– Przeprowadzamy tu ocenę nowych rekrutów, aby poznać ich możliwości.

Rollan spojrzał na członków Zielonych Płaszczy.

– Kim są twoi przyjaciele?

– Obserwatorami – odparł spokojnie Tarik. – Będą wam pomagać w razie konieczności. Starajcie się nie zwracać na nich uwagi. Chciałbym po prostu sprawdzić was w kilku ćwiczeniach.

– Nareszcie – burknął Rollan. – W końcu ktoś zwraca na nas uwagę.

Dwaj mężczyźni podeszli do Conora i Rollana, a kobieta stanęła przy Meilin. Była mocno zbudowana, ale nie otyła. Cała jej postawa wyrażała praktyczny stosunek do świata.

– Meilin, czy możesz przywołać Jhi? – poprosił Tarik.

Meilin skoncentrowała się na tatuażu widniejącym na wierzchu jej dłoni. Kiedy myślała o czymś innym, nie zwracała na rysunek niemal żadnej uwagi. Teraz jednak czuła czające się pod nim ciepło, odległą obecność. Mentalnie przywołała pandę i wyobraziła sobie otwierające się drzwi. Tatuaż zniknął z jasnym błyskiem i obok niej pojawiła się Jhi.

– Dobra robota – pochwalił dziewczynę Tarik. – Niektórzy mają z początku spore problemy z wypuszczaniem zwierząt ze stanu uśpienia. Tobie poszło szybko, a to bardzo ważne. Zwierzoduch nie może nikomu pomóc, jeśli pozostaje w uśpieniu.

Meilin kiwnęła głową i uśmiechnęła się skromnie. Wprawdzie przyzwyczaiła się do pochwał, ale nie była całkowicie odporna na ich skutki. Zauważyła, że obaj chłopcy, zwłaszcza Rollan, obserwują ją z zazdrością. Meilin patrzyła jednak na Tarika i udawała, że spojrzenia kolegów nic jej nie obchodzą.

– Pozwólcie, żeby wasi obserwatorzy założyli wam opaski na oczy – poinstruował Tarik. – Najpierw sprawdzimy, jak dobrze wyczuwacie swojego zwierzoducha bez pomocy wzroku.

Meilin w bezruchu pozwoliła założyć sobie opaskę.

– Często zdarza wam się walczyć z zawiązanymi oczami? – zapytał Rollan.

Meilin sama się nad tym zastanawiała, ale nigdy nie zadałaby podobnego pytania.

– Opaski pozwalają nam pozorować sytuację, w której zwierzoduch znajduje się poza zasięgiem wzroku – wyjaśnił cierpliwie Tarik, jakby pytanie Rollana nie miało na celu wytrącenia go z równowagi. – Odprężcie się i wykonujcie polecenia.

Ktoś ujął Meilin za łokieć i odciągnął o kilka kroków. Dziewczyna zachowała jednak świadomość tego, gdzie dokładnie się znajduje. Czekała około minuty.

– Wszystkie zwierzęta zmieniły pozycje – poinformował Tarik. – Zadaniem każdego z was jest wskazać położenie swojego zwierzoducha. Uprzejmie proszę zwierzoduchy o zachowanie ciszy.

Meilin wytężyła zmysły, ale niczego nie słyszała ani nie odbierała żadnych sygnałów od pandy. Pomyślała o odległej obecności, którą wyczuwała pod tatuażem uśpionej Jhi, i starała się wyczuć wokół siebie podobną obecność. Bezskutecznie.

– Dobrze, Conorze. Bardzo blisko – powiedział Tarik.

Meilin zachowała kamienną twarz, choć była rozczarowana. Czyżby więź Conora z jego zwierzoduchem przewyższała siłą jej więź z Jhi? Przecież Conor nie potrafił nawet wprowadzać Briggana w stan uśpienia! Może po prostu zgadywał?

Tarik znowu się odezwał:

– Przykro mi, Rollanie, ale nie trafiłeś. Dobra robota, Conorze. Briggan się przemieszcza, a ty dobrze go śledzisz.

Meilin rozkazała po cichu Jhi, żeby się ujawniła. Panda od początku słuchała jej próśb i poleceń, ale dziewczyna ponownie nic nie poczuła.

– Meilin – odezwał się Tarik – jeśli nie masz pewności, zdaj się na instynkt.

Meilin nie chciała wskazywać byle gdzie, ale pomyślała, że być może Tarik próbuje jej coś podpowiedzieć. Może jej świadomość obecności zwierzoducha była wyłącznie instynktowna. To by wyjaśniało, dlaczego Conor był w tym tak dobry. Dziewczyna wątpiła, żeby dręczył go nadmiar przemyśleń.

Wiedziona kaprysem wskazała palcem w prawo.

– Całkiem chybiłaś, Meilin – powiedział Tarik, a w jego głos wkradła się odrobina rozbawienia.

Meilin wskazała w lewo.

– Lepiej, ale nadal daleko od celu – poinformował ją Tarik.

Meilin z trudem zachowywała kamienną twarz. Co to za absurdalne zawody? Bezgłośnie zażądała, żeby Jhi się ujawniła, i raz jeszcze niczego nie wyczuła.

– Nieźle, Rollanie – powiedział Tarik. – Wprawdzie nie idealnie, ale idzie ci zbyt dobrze, żeby to mógł być przypadek. A ty, Conorze, masz wrodzony talent.

Meilin starała się nie tracić głowy. Nigdy dotąd nie próbowała wyczuć obecności Jhi. Była przekonana, że chłopcy musieli to wcześniej ćwiczyć.

– Może chcesz spróbować jeszcze raz, Meilin? – zapytał Tarik.

Dziewczyna zdjęła przepaskę z oczu.

– Nic nie wyczuwam.

Spojrzała na Jhi, która szła wzdłuż ściany pod opieką obserwatorki.

– To się zdarza – odparł Tarik.

Meilin widziała, jak Conor podąża wyciągniętym palcem za Brigganem nawet wtedy, gdy wilk zmieniał kierunek. Essix latała pod stropem sali. Rollan był w stanie wskazać, w której części sali znajduje się sokolica, ale niewiele ponad to.

– Jak mogę się stać lepsza? – zapytała Meilin.

– Umiesz już wezwać Jhi i przenieść ją w stan uśpienia – zauważył Tarik. – Nie jest to więc kwestia zaufania ze strony zwierzoducha. Myślę, że musi minąć trochę czasu, zanim wasza więź się wzmocni. Zależy to częściowo od twojej otwartości.

Meilin pokiwała głową. Jhi zawsze słuchała jej rozkazów, co mogło więc pójść nie tak? Być może Tarik miał rację – panda robiła, co mogła. Meilin zmarszczyła czoło. Może ona sama nie potrafiła odbierać wskazówek zwierzoducha? Jhi była posłuszna, ale poza tym nie były sobie bliskie. Co jeszcze było więc potrzebne? Głębokie uczucie? Wzajemne zrozumienie? Trudno było szanować takie potulne i powolne zwierzę, jednak Jhi była w końcu jej zwierzoduchem. Meilin wiedziała, że innego nie znajdzie i że będzie musiała próbować aż do skutku.

– Możecie zdjąć opaski – zezwolił chłopcom Tarik.

Meilin zerknęła tymczasem na broń stojącą pod ścianami. Drewniane miecze musiały służyć do ćwiczeń. Spora część uzbrojenia wyglądała na prawdziwe, ostrza mogły być jednak stępione. Meilin przypuszczała, że z pomocą Jhi lub bez niej jest w stanie zwyciężyć obu chłopców w niemal każdym rodzaju walki. Taka demonstracja przyniosłaby dziewczynie satysfakcję, tylko czy byłaby rozsądna? Ojciec zawsze jej powtarzał, żeby zachowała swoje umiejętności w sekrecie po to, aby w razie konieczności móc zaskoczyć przeciwnika.

– Spróbujemy teraz ćwiczeń fizycznych – zapowiedział Tarik. – Wszyscy staniecie pod tamtą ścianą. – Wskazał najodleglejszy kraniec sali. – Następnie podbiegniecie do przeciwległej ściany i dotkniecie jej najwyżej, jak zdołacie, po czym wrócicie na start i z całej siły uderzycie zawieszone tam worki. Poproście swoje zwierzęta, żeby wzmocniły wasze wysiłki w każdy możliwy sposób.

Meilin przyjrzała się masywnym płóciennym workom, zwisającym z belki stropowej pod przeciwległą ścianą. Worki, zawieszone na łańcuchach, były wyższe od niej i wyglądały na ciężkie.

– Wszyscy mamy to zrobić w tym samym czasie? – zapytała.

– Tak – potwierdził Tarik. – Kto pierwszy dobiegnie z powrotem na linię startu, uderza worek i tak dalej. Ocenimy waszą szybkość, wysokość skoku i siłę uderzenia. Spędźcie teraz chwilę ze swoimi zwierzętami.

Meilin podeszła do Jhi, która siedziała na zadnich łapach, i obserwowała ją z całkowitym spokojem, liżąc przednią łapę. Jej zachowanie wcale nie dodało dziewczynie pewności siebie.

– Możesz mi pomóc? Możesz zwiększyć moją szybkość, dodać mi energii? Nigdy dotąd tego nie robiłaś. To dobry moment, żeby zacząć.

Panda przekrzywiła nieco głowę. Wyglądała na lekko zdumioną.

– Słuchaj – szepnęła nagląco Meilin. – Przez każdą minutę, którą tu spędzamy, mój ojciec i jego armia muszą radzić sobie bez nas. Wiem, że masz w sobie moc. Jesteś w końcu jedną z Wielkich Bestii. Dlatego potrzebuję twojego wsparcia. Każda chwila zwłoki ułatwia zadanie naszym wrogom. Rozumiesz? To nie zabawa. Mamy wojnę.

Czyżby wyczuła w srebrzystym spojrzeniu pandy odrobinę zrozumienia? A może tylko to sobie wyobraziła?

Chłopcy zbliżali się do ściany, więc Meilin pobiegła za nimi. Była w dobrej formie. Choć od ostatniego treningu z jej mistrzami upłynęło kilka tygodni, podczas podróży do Amayi regularnie ćwiczyła, żeby nie stracić refleksu i kondycji. Chłopcy byli od niej wyżsi, ale Meilin była szybka i potrafiła zadawać silne ciosy.

Briggan przechadzał się wzdłuż jednej ze ścian, mierząc troje dzieci spojrzeniem drapieżnika. Essix wzleciała pod strop i usadowiła się na belce, tuż nad zwisającym z niej workiem. Jhi została tam, gdzie siedziała, i obserwowała Meilin w ciszy.

Rollan uśmiechnął się szyderczo.

– W pałacu pewnie musiałaś często biegać, co?

– Nie mieszkałam w pałacu – odparła Meilin.

Mówiła prawdę, choć miała świadomość, że komuś takiemu jak Rollan czy Conor jej dom wydałby się pałacem. Oczywiście, jeśli tylko nadal istniał.

– Ja biegam nie najgorzej – powiedział Conor. – Choć ostatnio rzadko miałem okazję. A ty, Rollan?

– Sieroty muszą umieć szybko biegać. Powolne sieroty trafiają do więzień.

– A nie stamtąd właśnie wyszedłeś? – zapytała niewinnie Meilin.

– Jesteście gotowi?! – zawołał Tarik.

Jeden z mężczyzn ich ustawił, drugi zaś zajął miejsce po przeciwnej stronie sali, żeby obserwować skoki. Kobieta została przy workach. Dzieci dotknęły ściany znajdującej się za nimi.

– Gotowi... – odezwał się Tarik. – Start!

Meilin odepchnęła się od ściany i pobiegła najszybciej, jak mogła. W myślach prosiła Jhi o większą prędkość, co wydawało jej się dość śmieszne. Trudno sobie było wyobrazić, żeby ociężała panda mogła przyspieszyć jej kroki. Rollan i Conor mieli przynajmniej jakieś podstawy do wiary w pomoc swoich szybkich zwierzoduchów.

Meilin biegła bardzo prędko, ale kiedy prawie już dotarła do przeciwległej ściany, zobaczyła, że Rollan wyprzedza ją o parę kroków, a Conor pędzi równo z nią. Nie czuła żadnego wsparcia od Jhi.

Przygotowała się do skoku. Jeśli chłopcy będą mierzyć wysoko, stracą cenne sekundy podczas obrotu. Więc może ona powinna się skupić na szybkim zwrocie? Zyskałaby wtedy na czasie i pierwsza dobiegłaby do swojego worka. Jednak jeśli wysokość skoku decydowała o jednej trzeciej ostatecznego wyniku, zajmie ostatnie miejsce, nawet gdyby uderzyła w worek naprawdę mocno.

Biegnący przed nią Rollan zwolnił odrobinę i podskoczył. Uderzył dłonią o ścianę najwyżej, jak mógł. Skok był udany, lecz nie nadzwyczajny. Meilin postanowiła więc dać z siebie wszystko.

Skoczyła i poczuła dziwny przypływ energii, dlatego odbiła się stopą od ściany, żeby sięgnąć jeszcze wyżej. Conor podskoczył obok niej, ale chociaż przewyższał ją wzrostem, uderzył w ścianę niżej.

Meilin wylądowała, odwróciła się i pobiegła ze wszystkich sił przed siebie. Conor był teraz za nią. Rollan wyprzedzał ją o dobre trzy kroki i wcale nie zwalniał.

Nagle w sali rozległo się wycie Briggana. Meilin próbowała nie zwracać na nie uwagi, ale i tak poczuła na ramionach gęsią skórkę.

Conor przyspieszył, minął Meilin, a potem Rollana. Dobiegł do worka pierwszy, podskoczył i uderzył go ramieniem. Odbił się w niezgrabnym piruecie i wylądował na podłodze. Cel ledwie się zachwiał.

Meilin zdała sobie sprawę, że nie może popchnąć worka byle jak. Był on wyraźnie ciężki, więc postanowiła zadać cios tak, jakby uderzała w mur.

Rollan trafił worek w biegu, ale ten nawet nie drgnął. Conorowi przynajmniej udało się go poruszyć.

Błagając Jhi o energię, Meilin kopnęła z wyskoku obiema nogami. Wielki wór zakołysał się od uderzenia, ale niezbyt mocno. Meilin zamortyzowała upadek wyciągniętymi rękami, po czym wstała, ciężko oddychając.

– Nic ci nie jest, Conorze? – zapytał Tarik.

Chłopak podniósł się ostrożnie, rozcierając obolałe ramię.

– Nic.

– Mogliście nas ostrzec, że worki są pełne kamieni – marudził Rollan, rozmasowując nadgarstek.

– Piasku – poprawił go Tarik. – Jakieś uwagi? – spytał obserwatorów.

– Niewiele poza naturalnymi talentami – powiedziała kobieta.

– Z wyjątkiem końcówki biegu Conora – zauważył jeden z mężczyzn.

– Co wtedy czułeś? – zapytał Tarik.

– Kiedy Briggan zawył? – upewnił się Conor. – Sam nie wiem. Jakby wiatr powiał mi w plecy. Poczułem większą agresję. Wcale nie planowałem uderzyć worka barkiem, po prostu wydało mi się to dobrym pomysłem. – Skrzywił się. – Póki w niego nie trafiłem.

– Zdaje się, że skok Meilin był wzmocniony – odezwał się mężczyzna stojący przy ścianie.

– Poczułaś coś, Meilin? – zapytał Tarik.

– Może odrobinę. Szczerze mówiąc, czułam się osamotniona – odparła dziewczyna.

– Gdyby panda jej pomogła, pobiegłaby wolniej – zadrwił Rollan.

– A ty dziobnąłeś ten worek jak ptaszek – odparowała Meilin. – Lekko jak piórkiem.

Rollan podniósł ręce w obronnym geście.

– Widzę, że lepiej nie żartować z pandy.

– Bez kłótni – rozkazał Tarik. – Wasze relacje ze zwierzoduchami mają indywidualny charakter. To nie są zawody. Chciałem przede wszystkim, aby każde z was stało się bardziej świadome swojego towarzysza oraz tego, jak możecie się nawzajem wspierać.

Meilin poczuła ukłucie gniewu. Ćwiczenie tylko jeszcze podkreśliło to, jak bezużyteczna była jej więź z Jhi. Jeśli panda nie miała do zaoferowania nic więcej, opuszczenie Zhong było wielkim błędem. Jak mogła zostawić swego ojca i ojczyznę? I po co?

– Skończyliśmy już? – zapytał Conor.

Tarik wymienił skinienia głowy z towarzyszami.

– Dość na razie widzieliśmy.

– A ja chciałbym zobaczyć, jak ty uderzasz w worek – powiedział zaczepnie Rollan.

Tarik spojrzał na obserwatorów, potem na dzieci.

– Chcesz, żebym wam pokazał?

Meilin cicho westchnęła. Oglądanie eksperta w akcji było ostatnią rzeczą, na jaką miała ochotę po swoim miernym wyczynie. Ale chłopcy zachęcali Tarika.

W błysku światła w sali zjawiła się smukła wydra.

Rollan powściągnął śmiech.

– Twoim zwierzoduchem jest wydra?

– Lumeo jest raczej żartownisiem niż Bestią – wyjaśnił Tarik.

Wydra wykręciła się w serii akrobatycznych figur. Jej ciało wyginało się niczym ogon latawca na wietrze. Conor zaklaskał.

– No dobrze – zwrócił się do wydry Tarik pobłażliwym tonem. – Wszyscy wiemy, że nikt nie popisuje się tak jak ty. Możesz mi przez chwilę pomóc?

Wydra wyprostowała się na baczność i obserwowała, jak Tarik podchodzi do ściany, przy której dzieci rozpoczęły wcześniej ćwiczenia. Meilin się przyglądała, jak się rozpędza, i aż westchnęła z wrażenia. Nikt nie mógł tak błyskawicznie przyspieszać! Tarik dotarł do ściany i niemal wbiegł na nią, odbijając się trzy razy i z każdym krokiem zyskując wysokość, po czym uderzył dłonią dwukrotnie wyżej niż Meilin. Spadając w dół, odepchnął się, zrobił salto w tył i wylądował w biegu. Kiedy dotarł do worka, jego uderzenie gwałtownie nim zakołysało.

Potem odwrócił się do publiczności.

– Niesamowite! – ocenił z uznaniem Conor.

Rollan zaklaskał, a nawet zagwizdał.

Meilin doszła do wniosku, że jeśli nie przyłączy się do aplauzu, wszyscy pomyślą, że nie potrafi przegrywać z klasą. Poza tym pokaz Tarika naprawdę robił wrażenie. Nigdy w życiu by się nie domyśliła, że ten wysoki wojownik umie się poruszać tak szybko i zwinnie.

Tarik wyciągnął dłoń w stronę swojej wydry.

– Oklaski należą się Lumeo. Bez niego nigdy by mi się nie udało. Jesteśmy drużyną, podobnie jak wy i wasze zwierzęta. Spróbujcie pogłębić tę więź, a rezultaty was zaskoczą.

– Jestem pod wrażeniem – przyznała Meilin. – Uważam jednak, że odchodzimy od spraw najważniejszych. Zhong zostało zaatakowane. Giną ludzie. Kto wie, ile miast zostało już zdobytych. W dobrej wierze przebyłam bardzo długą drogę, ale zaczynam się zastanawiać, w jaki sposób moja obecność w Amayi wpływa na wojnę w Zhong. Kiedy się dowiemy, czego od nas oczekujecie wy, Zielone Płaszcze? Nie przebyłam połowy Erdas po to, żeby biegać i kopać worki z piaskiem.

– Już niedługo – obiecał Tarik. – Olvan kończy układać plany. Nie macie pojęcia, jak ważna jest wasza trójka. My musimy was wykorzystać we właściwy sposób, wy zaś musicie starać się na to przygotować.

Tarik z obserwatorami wyszli. Meilin, żeby uniknąć rozmów z Conorem i Rollanem, od razu podeszła do Jhi. Ta odwróciła się na plecy, komicznie rozkładając przy tym łapy.

– Wracajmy do pokoju – powiedziała jej Meilin.

Panda spojrzała na nią wyczekująco.

– Mam cię zanieść? Wiesz co, w ramach nagrody za twoją nieocenioną pomoc pójdziesz dziś piechotą. – Ruszyła do swojego pokoju, nawet nie dbając o to, czy Jhi idzie za nią.

8

WYSPA

W żółtym świetle dużej tarczy księżyca Abeke skradała się wzdłuż dachu. Oddychając cicho, podążała w ślad za Urazą. Z tak dużej wysokości wyraźnie widziała lagunę, w której cumował statek. Ciepłe, wilgotne powietrze przepełniała bogata woń dżungli z dodatkiem słonego zapachu morza.

Według Shane'a znajdowali się na wyspie w Zatoce Amayskiej, od Nilo oddzielał ich cały ocean. Kiedy ich okręt wchodził do portu, Abeke spała, dlatego tej nocy zamierzała sprawdzić, czy rzeczywiście tak jest – nigdy wcześniej nie była na żadnej wyspie. Nie wątpiła w słowa Shane'a, ale chciała sobie znaleźć jakieś zajęcie. Potajemnie spenetrowała już część okolicy podczas dwóch samotnych wypraw i przekonała się, że znajduje się co najmniej na półwyspie.

Uraza zeskoczyła z dachu na krawędź muru. Odległość nie była duża, ale mur był szeroki na zaledwie trzy dłonie. Kiedy Abeke się zawahała, lamparcica spojrzała na nią oczami lśniącymi w świetle księżyca. W tej samej chwili dziewczyna poczuła uspokajający przypływ mocy. Napięcie opuściło jej mięśnie, w zamian za to ogarnęło ją odprężenie. Odzyskała równowagę i skupiła się na nocnych odgłosach wyspy, na chrobocie zwierząt w poszyciu, nawoływaniu ptaków oraz na przyciszonej rozmowie przebiegającej gdzieś poniżej, być może na balkonie lub na poziomie gruntu. Jej wzrok wyostrzył się mimo mroku, wyczulonym węchem wychwytywała poszczególne zapachy w powietrzu.

Abeke lekko wylądowała na murze, po czym prędko dotarła do miejsca, w którym przylegał on do zewnętrznej ściany zabudowań. Po krótkiej wspinaczce zawisła na krawędzi i zeskoczyła na piaszczyste podłoże.

Nikt nie zauważył jej ucieczki, choć nie miało to znaczenia. Gdyby została przyłapana, jedyną jej karą byłoby ukłucie porażki. Abeke była spragniona ćwiczeń. Trening z Shane'em był pożyteczny, ale przebiegał w sztucznych warunkach. Nocne wyprawy z lamparcicą miały więcej wspólnego z prawdziwym życiem.

W ślad za Urazą Abeke weszła w cienisty las, porośnięty gęstymi paprociami i wysokimi drzewami o ogromnych liściach. Nie nawykła do widoku równie obfitej roślinności, powojów i pnączy ani tak wielu drzew w jednym miejscu. Domyślała się, że wszelkie rośliny tak bujnie tu rosły z powodu wilgoci, wyczuwalnej w powietrzu. Od chwili jej przybycia na wyspę padało dwukrotnie. Za każdym razem deszcz zrywał się nagle i bez ostrzeżenia, padał krótko, ale obficie i równie nagle się kończył. Abeke żałowała, że nie może wysłać do swojej osady choć odrobiny nadmiaru wody.

Dziewczyna i lamparcica zostawiły za sobą fort, położony nieopodal zatoczki osłoniętej przed wiatrem, gdzie kotwiczyły okręty. Były to jedyne zabudowania, jakie Abeke widziała na całej wyspie.

– Tędy, Urazo – rzuciła cicho, wskazując kierunek, ponieważ lamparcica skręciła ku wzgórzom, które obie zdążyły już zwiedzić. – Dzisiaj chcę zobaczyć przeciwny kraniec wyspy.

Kocica ruszyła we wskazaną stronę.

Szmery oraz ptasie nawoływania nie rozpraszały uwagi Abeke. Sama nigdy nie zdecydowałaby się na nocną wycieczkę po dżungli, jednak z Urazą u boku czuła się niezwyciężona.

Wędrowały niespiesznie, jak łowczynie, przemykając wśród roślinności cicho niczym duchy. Abeke wpadła niemal w trans i naśladowała każdy ruch Urazy, zatrzymując się i znów ruszając naprzód w ślad za nią. Dzięki łączącej je więzi Abeke uczyła się techniki lamparcicy oraz korzystała z jej wyostrzonych zmysłów i wrodzonej umiejętności skradania się.

Po jakimś czasie wynurzyły się spomiędzy drzew, aby wejść na zbocze, które w miarę wspinaczki stawało się coraz bardziej strome. Krzewy rosły tu niższe, dzięki czemu Abeke mogła zobaczyć za sobą panoramę mrocznego lasu oraz pomarańczowe iskierki, w jakie zamieniły się światła małego fortu.

Z wysokości grani pozbawionej roślinności dziewczyna po raz pierwszy ujrzała najdalej położony kraniec wyspy. Po przeciwnej stronie zbocze opadało ostro wprost do morza. W świetle księżyca Abeke udało się rozróżnić linię brzegową, częściowo osłoniętą od otwartego morza przez piaszczyste mielizny. Nie było widać śladu innego lądu. Jej wzrok przyciągnęła jasna łacha plaży w centralnie położonej zatoczce, oświetlona dwoma ogniskami. Ich blask, jasny mimo dużej odległości, świadczył o tym, że musiały mieć one imponujące rozmiary. Na plaży poruszały się jakieś postacie, widoczne jako ciemne plamki, od czasu do czasu oświetlane przez płomienie.

– Spójrz tam – powiedziała Abeke. – Kto to może być?

Uraza obserwowała uważnie plażę, trzymając się nisko u boku dziewczyny.

Abeke przymrużyła oczy, wytężyła wzrok.

– Stąd trudno cokolwiek stwierdzić. Są daleko od fortu. Może to piraci? Shane mówił, że wszyscy kapitanowie statków muszą ostatnio szczególnie uważać na piratów.

Uraza nawet się nie poruszyła.

Abeke się zastanawiała, czy towarzysze Shane'a wiedzieli, że nie są na wyspie sami. Czy ludzie na plaży stanowili zagrożenie? Wydawało się to mało prawdopodobne. Fort był solidny, zamieszkiwało go obecnie kilkadziesiąt osób, w tym wielu uzbrojonych żołnierzy wraz ze swoimi zwierzoduchami. W zatoce czekały trzy duże okręty. Shane wspominał, że wkrótce mają przybyć inni ważni goście. Czy to właśnie ich widziała na plaży? Goście przyszliby przecież prosto do portu...

– Nie podoba mi się to – mruknęła Abeke. – Nie chcę ryzykować, że ktoś się podkradnie i zaskoczy Shane'a i jego towarzyszy. Myślisz, że zdołamy się zbliżyć tak, żeby nikt nas nie zauważył?

W odpowiedzi Uraza machnęła ogonem i skierowała się w stronę zatoczki. Abeke podążyła za lamparcicą. Wkrótce znowu znalazły się między drzewami. Abeke starała się poruszać nadzwyczaj cicho, bo nocna wycieczka przestała już być zabawą. Ludzie na plaży mogli się okazać niebezpieczni.

Kojąca bryza od morza zaszeleściła wśród liści, przynosząc słabą woń dymu. Abeke się ucieszyła – bryza dodatkowo maskowała odgłosy jej kroków.

Po dość długim marszu zapach dymu stał się wyraźniejszy, Abeke usłyszała też odległe rozmowy. Wtedy gdzieś przed nią nocną ciszę rozdarł gwałtowny krzyk, potem drugi, mniej naglący, a później trzeci. Abeke wstrzymała oddech i przyklękła obok Urazy. Wrzaski się urwały. Nie brzmiały jak ludzkie głosy i nie przypominały dźwięków wydawanych przez jakiekolwiek znane Abeke zwierzęta, ale sprawiały wrażenie rozpaczliwych.

Uraza znów ruszyła naprzód. Skradały się teraz jeszcze ostrożniej, pokonując stopniowo niewielkie odległości, aż w końcu plaża znalazła się w ich polu widzenia. Razem podczołgały się jak najbliżej na skraj lasu i wyjrzały spomiędzy rzedniejących zarośli, skrytych w cieniu rozłożystych drzew.

Płomienie ognisk sięgały wysoko, przypominały przypadkowo podpalone małe chaty. W ich drżącym blasku Abeke dostrzegła sześć dużych klatek oraz około dziesięciu ludzi. W czterech klatkach znajdowały się potworne bestie. Pierwszą był ogromny, upierzony, drapieżny ptak. Drugie stworzenie miało kolce jak jeżozwierz, ale wielkością dorównywało niemal wołowi. W trzeciej klatce leżał gigantycznych rozmiarów wąż, prawdopodobnie dusiciel. W czwartej natomiast kryło się coś, co wyglądało na muskularnego szczura, mogącego dzięki swoim rozmiarom powalić nawet antylopę. W piątej klatce kręcił się w miejscu zwykły pies, który w porównaniu do pozostałych uwięzionych bestii wyglądał na małego i przestraszonego.

Szósta klatka była pusta. Do niej właśnie zbliżył się zakapturzony mężczyzna ze szczurem w ręce. Gryzoń był spory, ale w zestawieniu z potworem z klatki wydawał się maleńki.

– Zwiększymy dawkę i sprawdzimy różnicę – powiedział zakapturzony.

– Dawka to dawka, bez względu na to, czy duża, czy mała – zaoponował łysy mężczyzna.

– Dawek mamy w bród. Straciliśmy papugę, mamy więc dodatkową klatkę. Przekonajmy się.

Abeke musiała wytężać słuch, ale była pewna, że wyraźnie usłyszała słowa mężczyzny.

Zakapturzony wyjął bukłak i odwrócił go wprost nad pyskiem szczura. Gryzoń wiercił się i wywijał ogonem.

– Wystarczy – warknął jeden z pozostałych mężczyzn.

– Do klatki z nim – zażądał drugi.

– Jeszcze nie teraz – odparł zakapturzony, zamykając bukłak. – Jeżeli za bardzo się pospieszymy, szczur się wymknie między prętami klatki.

Wyciągnął gryzonia przed siebie, żeby pozostali mogli mu się przyjrzeć. Zwierzę nadal się wiło. Wydawało się puchnąć, zaczęło się rzucać i zapiszczało z bólu.

Mężczyzna w kapturze się odwrócił i wepchnął szczura pomiędzy pręty pustej klatki. Gryzoń szamotał się na podłodze. Pod jego futrem rosły połacie nowej skóry. Jego cielsko wzdymały nowe mięśnie. Wydawał z siebie bolesne wrzaski, które Abeke zaraz rozpoznała. Zapiszczał raz jeszcze, po czym rzucił się na pręty klatki. Kilkukrotnie naparł na nie, poruszając całą klatką i sypiąc wokół piachem, aż w końcu się uspokoił.

Abeke ledwo wierzyła własnym oczom. Co pomyśli Shane, kiedy mu o tym powie? Czy uwierzy? Spojrzała na Urazę.

– Jesteś moim jedynym świadkiem – szepnęła do lamparcicy. – Widzisz to, prawda? To nienaturalne. Co on dał temu szczurowi?

Uraza zerknęła na nią, po czym natychmiast ponownie skupiła uwagę na plaży.

– A co mówiłem? – powiedział łysy. – Dawka to dawka. Ilość nie ma znaczenia.

– Ten jest nieco większy – stwierdził zakapturzony. – I moim zdaniem przemiana trwała krócej.

– Daremny wysiłek. Kończmy z tym.

– Ostatnia powinna być najłatwiejsza – upierał się mężczyzna w kapturze. – Admirał jest dobrze wyszkolony. Może to się nie zmieni nawet po podaniu Żółci.

– Uwierzę, jak zobaczę – wątpił łysy.

Zakapturzony uniósł bukłak.

– Zaraz odszczekasz te słowa. – Podszedł do klatki z psem. – Admirał, siad!

Pies usiadł.

– Daj głos!

Pies szczeknął i zamachał ogonem.

Zakapturzony odkorkował bukłak i wsunął wylot naczynia między kraty.

– Chodź!

Pies się zbliżył, a wówczas mężczyzna wlał porcję napoju z bukłaka do jego pyska. Abeke widziała, jak płyn chlapie i pryska na boki.

Zakapturzony się cofnął. Kilku innych mężczyzn stanęło obok klatki, trzymając w pogotowiu długie włócznie. Jeden miał łuk ze strzałą na cięciwie.

Abeke nie chciała patrzeć, lecz nie mogła odwrócić wzroku od psa, który najpierw wił się w konwulsjach, a później zaczął rosnąć. W odróżnieniu od szczura, skowytał przy tym cicho. Mięśnie zwierzęcia naprężyły się i groteskowo uwypukliły. Jego oczy stały się większe, dzikie, a z kącika pyska zaczęła kapać piana. Pies wydał z siebie niski warkot, po czym rzucił się na pręty klatki i niemal przewrócił ją na bok.

– Siad, Admirał! – zawołał z pewnej odległości zakapturzony mężczyzna.

Przemieniony pies usiadł.

– Daj głos!

Zwaliste zwierzę zaszczekało basowo i donośnie. Jego głos poniósł się echem po dżungli, gdzie spłoszone ptaki zerwały się do lotu spośród koron drzew.

– Dobry piesek, dobry! – zawołał wówczas mężczyzna w kapturze.

– Okej, jestem pod wrażeniem – przyznał łysy. – Ale bez smyczy bym go nie wyprowadzał.

Paru mężczyzn się zaśmiało, lecz większość nadal trzymała broń w pogotowiu.

Bryza znów powiała. I zmieniła kierunek.

Pies odwrócił nagle łeb w stronę dżungli i spojrzał wprost na Abeke, a jego warkot brzmiał jak echo gromu. Kilku mężczyzn popatrzyło w tym samym kierunku co zwierzę. Abeke opanowała chęć natychmiastowego wycofania się. Gdyby poruszyła się teraz, gdy spoczywał na niej wzrok mężczyzn i psa, zdradziłaby swoją obecność. Musiała polegać na zasłonie z liści i ciemności.

Warkot psa przerodził się we wściekłe ujadanie.

– Co jest, Admirał? – spytał zakapturzony, podążając za jego spojrzeniem.

Brytan rozszczekał się jeszcze bardziej zajadle.

– Nie, nie, nie – szeptała Abeke.

Pies począł dziko tłuc w boki klatki. Mężczyźni pokrzykiwali coś do siebie, ale z powodu hałasu Abeke nie mogła rozróżnić ich słów. Zmutowany brytan wpadł w szał. Szczekał i rzucał się wściekle, a jego klatka drżała gwałtownie. Kiedy uderzył w jej drewniany dach, deski zaczęły pękać w drzazgi.

Abeke poczuła na ramieniu ostre zęby. To Uraza delikatnie ją ugryzła, a potem wycofała się głębiej pomiędzy drzewa. Dziewczyna poszła za jej przykładem.

Dziki hałas za nią trwał przez chwilę, po czym rozległ się gwałtowny trzask. Abeke obejrzała się przez ramię i zobaczyła, jak ogromny brytan rozwala dach klatki, a żelazne pręty, tworzące boki, sypią się na wszystkie strony. Bestia zignorowała mężczyzn, którzy dźgali ją włóczniami, i skoczyła w pogoń za Abeke, z każdym susem wyrzucając w górę tumany piachu.

Uraza zerwała się do biegu, a Abeke pędziła tuż obok niej. Już się nie skradały, tylko przedzierały przez dżunglę byle prędzej. Dziewczyna żałowała, że nie ma przy sobie żadnej broni oprócz noża, ale z drugiej strony jaka broń mogłaby powalić zmutowanego psa?

Biegnące za nimi monstrum tratowało zarośla. Jego szaleńcze ujadanie gnało Abeke naprzód. Nie było czasu na opracowanie taktyki. Dziewczyna pędziła ile tchu, a sił dodawał jej strach. To samo podłoże, które wcześniej umożliwiało skradanie się, teraz utrudniało jej ucieczkę. Abeke potykała się w biegu, siekły ją gałęzie, a jej nogi plątały się w korzeniach. Na nierównym terenie za każdy błąd trzeba było zapłacić – kilka razy upadła na kolana, raz przewróciła się na twarz, ale zawsze zrywała się tak szybko, jak mogła, szarpiąc paznokciami zarośla.

Olbrzymi pies szybko ją doganiał, był już niemal przy niej. W każdej chwili mógł ją pochwycić zębami. Abeke straciła Urazę z oczu, ale nie zamierzała łatwo paść ofiarą rozszalałego mutanta. Wydobyła nóż i obróciła się w biegu.

Jej zmysły nagle znów się wyostrzyły. Widziała, jak przerośnięty brytan pędzi wprost na nią. Opadła do wygodnej, niskiej pozycji. Kiedy pies rzucił się na nią, dziewczyna zwinnie odskoczyła i machnęła nożem. Sztych zadrapał tułów zwierzęcia, które przeleciało obok w rozmazanym pędzie.

Abeke skryła się za pniem drzewa. Pies uderzył w nie dość mocno, żeby wstrząsnąć całą dżunglą. Pień jednak wytrzymał. Dziewczyna rzuciła się do ucieczki. Bestia ruszyła w pogoń, tocząc pianę z pyska. Abeke się potknęła, obróciła na plecy i rozpaczliwie wyciągnęła przed siebie nóż. Brytan skoczył na nią z rozwartym pyskiem, pełnym ogromnych zębów lśniących w mroku.

Uraza wypadła spośród nocy z rykiem, jakiego Abeke nigdy dotąd nie słyszała, i zacisnęła szczęki na karku psa. Uderzenie przerwało atak bestii, która splotła się z lamparcicą jak w uścisku. Walczące zwierzęta o włos minęły w pędzie Abeke, potoczyły się w ciemność, rycząc i warcząc, błyskając zębami i siekąc pazurami.

W pierwszym odruchu Abeke chciała się zerwać do ucieczki, potem stwierdziła, że musi pomóc Urazie. Jednak instynkt podpowiedział dziewczynie, że powinna się wspiąć na drzewo. Ta myśl uderzyła ją z taką mocą, że Abeke natychmiast skoczyła na najbliższy pień i objęła go rękoma i nogami. Poniżej niewielkiej korony drzewo nie miało żadnych gałęzi, ale ona na przemian podciągała się i ściskała pień kolanami, stopniowo wchodząc coraz wyżej.

W końcu dotarła do krótkich gałęzi, na których mogła odpocząć. Zauważyła, że Uraza też się wspięła na pobliskie drzewo. Jej wspaniałe futro plamiła czerwona rana. Pies rzucał się poniżej, szczekał, ujadał i w końcu zaczął wyć. Drzewo, na którym się schroniła Abeke, zatrzęsło się od upartych i szaleńczych uderzeń bestii. Dziewczyna musiała się mocno trzymać pnia. Zgubiła gdzieś nóż. Jej jedyną nadzieją było przeczekać atak.

Po chwili coś przyciągnęło uwagę psa do innego drzewa. W mroku, rozświetlanym jedynie rozproszonym blaskiem księżyca, Abeke dojrzała, że wysoko wśród gałęzi siedzi jakaś postać. Miała ona łuk i słała strzałę za strzałą prosto we wściekłe monstrum.

Ogromny brytan skakał, szczekał i warczał, nadaremnie drapiąc pień pazurami. Trafiały go kolejne groty, ale nawet nie próbował się ukryć. Liczne strzały spełniły w końcu swoje zadanie: potwór zaczął się kurczyć, zrobił dwa niepewne kroki, po czym z żałosnym skomleniem osunął się w leśne poszycie.

Postać zeszła na ziemię. Pochyliła się nad gwałtownie malejącym psem, a następnie zbliżyła się do drzewa, na którym się schroniła Abeke.

– Zejdź – ponaglił ją ściszony, znajomo brzmiący głos. – Pies zdechł. Schodź szybko, musimy stąd natychmiast uciekać.

Abeke objęła pień i zsunęła się niżej, po czym zeskoczyła na ziemię.

– Shane! Jak mnie znalazłeś?

– Myślałaś, że pozwolę ci samej spacerować nocą po dżungli?

– Śledziłeś mnie?

– Ciszej – ostrzegł Shane, wpatrując się w mroczną przestrzeń pomiędzy drzewami. – Wolałbym, żeby ci ludzie z plaży nas nie znaleźli.

– Ci ludzie – powiedziała szeptem Abeke – zamienili psa w potwora! Coś mu podali i...

– Wiem o nich. Nie przypuszczałem, że będą tu dzisiejszej nocy, a potem było już za późno. Gdybym wiedział, odradziłbym ci wizytę na plaży.

– Jak daleko ode mnie się kryłeś?

– Zbyt daleko. Starałem się nie zdradzać swojej obecności, choć jestem pewien, że twojej lamparcicy nie udało mi się zwieść.

– Co robią ci ludzie?

– Próbują znaleźć środek, który zastąpiłby Nektar – wyjaśnił chłopak. – W tajemnicy sprawdzają działanie swoich eliksirów.

– Ale Nektar nie tworzy takich bestii!

– Ich eliksiry są inne – odparł Shane. – Nie znam zamiarów tych ludzi, ale gdyby nas schwytali, źle by się to skończyło. Powinniśmy już iść.

Uraza ostrożnie wyszła z cienia, krwawiąc z rany w boku. Dziewczyna przysiadła obok lamparcicy i objęła ją za szyję.

– Dziękuję – wymruczała. – Uratowałaś mi życie.

WIZJA

Promienie słońca wpadały do obszernego holu przez witrażowe szyby, tworząc na posadzce barwne wzory. Briggan zwiedzał pomieszczenie, obwąchując wszystkie kąty i meble. Gdy przechodził przez promienie światła, jego szare futro pokrywały kolorowe plamy. Conor nie wiedział, jak długo już czeka. Irytowało go to, że choć nie był już służącym Devina, wciąż stale tkwił w zamku. Wiedział, że i wilkowi takie zamknięcie nie odpowiada.

Drzwi się otworzyły i do holu wszedł Rollan z Essix na ramieniu. Conor i Briggan spojrzeli na niego z wyczekiwaniem. Wyglądało na to, że wreszcie Lenori skończyła z nim rozmowę.

– Twoja kolej – powiedział Rollan.

– Jak było? – zapytał Conor.

Rollan wzruszył ramionami.

– Chciała wiedzieć, co mi się śniło. Jeśli to był jakiś sprawdzian, raczej nie zdałem. Baw się dobrze.

Conor wszedł do komnaty, w której czekała na niego Lenori. Siedziała w dużym, miękko wyściełanym fotelu, przez co wydawała się jeszcze drobniejsza niż w rzeczywistości. Jej zielony płaszcz leżał na pobliskim stoliku. We włosy miała wplecione pióra, jej szyję zaś i nadgarstki zdobiły naszyjniki i bransoletki z paciorków. Bose nogi trzymała na otomanie, ukazując zbrązowiałe i twarde podeszwy stóp. Obok jej fotela stał wysoki, przenośny drążek, na którym siedział niezwykły ptak. Miał on smukłą szyję, dziób zakrzywiony w dół i upierzenie we wszystkich kolorach tęczy.

Lenori wskazała Conorowi pobliskie krzesło, więc chłopak usiadł, Briggan zaś wyciągnął się na posadzce obok niego. Lenori przyglądała się Conorowi oczami o wyrazie równie nieodgadnionym, co ocean. Chłopak zadawał sobie pytanie, czy ta kobieta potrafi czytać w myślach.

– Jak się miewasz, Conorze?

Pytanie zostało zadane łagodnym tonem i brzmiało całkiem szczerze.

– Ja? Tak naprawdę? Cały czas się zastanawiam, czy Briggan wybrał właściwą osobę.

Lenori się uśmiechnęła.

– Żadne zwierzę nie związałoby się z niewłaściwym człowiekiem. A już na pewno nie któraś z Wielkich Bestii. Dlaczego się martwisz?

Conor żałował, że podzielił się z nią swoimi wątpliwościami. Lenori wyglądała na odprężoną, ale przed wzrokiem jej uważnych oczu nic się nie ukryło.

– To wszystko tak bardzo się różni od moich oczekiwań.

– Chyba rozumiem. – Głos kobiety był delikatny i melodyjny. – Nie wymagaj od siebie zmiany z dnia na dzień. Dorośniesz do swej roli. A teraz opowiedz mi o swoich snach od czasu pojawienia się Briggana.

Conor zastanowił się nad odpowiedzią.

– Kiedyś, w prawdziwym życiu, musiałem obronić stado owiec przed watahą wilków. Ostatnio często przeżywałem tę noc ponownie.

Spojrzał na Briggana, który wywiesił język z rozdziawionego pyska – tylko wówczas wilk wyglądał tak, jakby się uśmiechał.

– Czy w snach nawiedzają cię inne zwierzęta?

– Nie wiem. Niedawno widziałem we śnie barana, takiego z wielkimi, kręconymi rogami.

Lenori nachyliła się ku niemu.

– Gdzie był ten baran? Co robił?

Okoliczności ze snu przypomniały się Conorowi niezwykle żywo. Był to ten rzadki rodzaj snu, który do złudzenia przypominał jawę, nawet jako wspomnienie. Conor wspinał się w nim na wysoką, skalistą górę niemal pionową ścianą; czuł pod palcami lodowate zimno nierównego kamienia. W końcu dotarł do miejsca, z którego nie mógł ani wejść wyżej, ani zejść. Zrozumiał, że utknął i spadnie, jeśli tylko spróbuje iść dalej albo się wycofać. Mięśnie paliły go żywym ogniem, powietrze było zbyt rozrzedzone, żeby dostarczyć płucom dostatecznie dużo tlenu. Trzymał się ściany ze wszystkich sił, choć miał świadomość, że i one w końcu go opuszczą i runie w przepaść. Po co wdrapał się tak wysoko?

Ponieważ bezruch oznaczał pewną śmierć, postanowił wspinać się dalej, chociaż prawie nie mógł znaleźć oparcia dla rąk i nóg. Wyciągnął się najwyżej, jak mógł, i zaczepił czubki palców o maleńką bruzdę w powierzchni skały nad swoją głową. Kiedy szukał następnego miejsca chwytu, zza góry wyszło słońce i oślepiło go swoim blaskiem.

Conor mrużył oczy i krzywił twarz. Czuł piekący ból w ramionach. Palce u stóp zaczynały mu się ześlizgiwać. Prawą ręką macał wokół siebie w poszukiwaniu czegoś, czego mógłby się przytrzymać. Wtedy padł na niego cień. Conor zobaczył nad sobą potężną sylwetkę barana, który spoglądał na niego ze szczytu. Widok zwierzęcia sprawił, że chłopak zapomniał o niebezpieczeństwie, w jakim się znalazł. Patrzył na barana dłuższą chwilę, aż ramiona odmówiły mu posłuszeństwa. Wydał z siebie straszliwy krzyk i odpadł od ściany. Leciał ku ziemi, a żołądek podchodził mu do gardła. Tuż przed upadkiem się obudził, cały mokry od potu.

– Byłem w górach – powiedział Conor. – Zobaczyłem barana tuż przed tym, jak się obudziłem. Słońce świeciło mi w oczy. Baran był duży, ale nie mogłem rozpoznać żadnych szczegółów.

– Pracowałeś kiedyś z owcami gruborogimi? – zapytała Lenori.

– Nie, ale widziałem rysunki Araxa. Moi rodzice mają jeden. Baran z mojego snu wyglądał jak Arax.

– Wyglądał jak on czy nim był?

Conor zdawał sobie sprawę z nagłego wzrostu zainteresowania Lenori. Czy ona nigdy nie mrugała?

Znał odpowiedź, jednak czuł się dość niezręcznie. Obawiał się, że będzie to wyglądało tak, jakby się uważał za kogoś bardzo ważnego. Odwrócił wzrok, potem znowu spojrzał na Lenori.

– To był tylko sen. Ale tak, myślę, że to był Arax.

– Śniła ci się jeszcze któraś z Wielkich Bestii? Rumfuss? Tellun? Znasz je wszystkie?

Conor odchrząknął, zmieszany.

– Wiem, że jest ich piętnaście, Czworo Poległych i jedenaście pozostałych. Nie jestem żadnym znawcą. Potrafię wymienić imiona niektórych, na przykład lwa Cabaro, ośmiornicy Mulopa. I oczywiście Araxa, bo jest ważny dla pasterzy. Gdybym miał dość czasu, może przypomniałbym sobie wszystkie z nich.

– Wielkie Bestie bronią Erdas od niepamiętnych czasów. Wyszłoby nam na dobre, gdybyśmy je lepiej pamiętali. Poza Czworgiem Poległych oraz tymi, które sam wymieniłeś, są jeszcze łoś Tellun, łabędzica Ninani, orzeł Halawir, słoń Dinesh, dzik Rumfuss, niedźwiedź polarny Suka, małpa Kovo i wąż Gerathon.

Conor zauważył, że Briggan postawił uszy.

– O nich nie śniłem, tylko o baranie. Mogę zapytać, dlaczego tak cię to interesuje?

– Wątpię, żeby to był zwykły sen.

Briggan wstał, uważnie obserwując Lenori.

– Twój wilk chyba się ze mną zgadza.

Briggan szczeknął, a Conor aż podskoczył w miejscu.

– Sny mogą nie mieć żadnego znaczenia, ale mogą również być prorocze – powiedziała Lenori. – Rozróżnianie ich wymaga zazwyczaj doświadczenia. Sny, którymi podzielili się ze mną Rollan i Meilin, były pozbawione znaczenia. Wiązałam pewne nadzieje z Meilin, ale ona najpierw musi pogłębić swoją więź z Jhi. Podejrzewałam, że twoje sny mogą być ważniejsze, i się nie rozczarowałam.

Conor poprawił się na krześle.

– Dlaczego podejrzewałaś właśnie mnie?

– Briggan był jednym z ważniejszych proroków Wielkich Bestii. Znany jest jako Przewodnik Stada, Księżycowy Biegacz oraz, co najistotniejsze, Tropiciel.

Conor wyciągnął rękę i pogłaskał szorstką grzywę na karku wilka.

– Naprawdę masz aż tyle imion?

Briggan odwrócił głowę i wywiesił język w kolejnym wilczym uśmiechu.

– Ja również widziałam ostatnio barana Araxa – przyznała Lenori. – Dlatego zebraliśmy się w Wieży Zachodu w Amayi. Wieża znajduje się najbliżej aktualnego królestwa Araxa.

– Potrafisz go odnaleźć? – zapytał Conor.

– Nie wiem, gdzie teraz przebywa – odparła Lenori. – Ale mam nadzieję, że razem uda nam się go odszukać. Nie licząc niedawnego powrotu Czworga Poległych, nikt od lat nie natknął się na żadną z Wielkich Bestii. Arax jest pośród nich największym samotnikiem. Woli roztaczać swą władzę nad wiatrem i okolicą ze szczytów gór, czyli stamtąd, skąd najbliżej do najwyższych miejsc na świecie. Nie możemy go szukać, polegając na wróżbach ani szczęściu. Dzikie okolice zachodu Amayi są nieujarzmione. Bez przewodnika moglibyśmy go tropić latami i nigdy nie zbliżyć się do niego ani o krok.

Lenori zastanawiała się przez chwilę, po czym odezwała się nieco ciszej:

– Czy chciałbyś spróbować wizji na jawie?

– Ja? – upewnił się zaskoczony Conor. Nie był przecież prorokiem. – Co masz na myśli?

– Być może Briggan będzie mógł wykorzystać waszą więź, aby podzielić się z tobą wiedzą z dalekich stron.

Conor potarł powieki.

– Nie wiedziałbym nawet, jak zacząć.

Lenori podeszła, uklękła przed nim i ujęła jego dłonie. Conor starał się nie okazywać zdenerwowania.

– Nie wszyscy spośród Zielonych Płaszczy o tym wiedzą – zdradziła mu Lenori – ale zwierzoduchy istnieją nie tylko po to, żeby pomagać nam mocniej wymachiwać mieczem. Więź z nimi może mieć aspekty o wiele bardziej wartościowe niż umiejętność szybszego biegania lub dalekich skoków. Myślę, że zdołam ci pomóc, jeżeli się odprężysz.

– Jeśli tego chcesz, spróbuję – odparł Conor, choć wiedział, że nie uda mu się odprężyć, dopóki ona będzie go trzymała za ręce.

Lenori się cofnęła, być może wyczuwając jego nastrój.

– Nie staraj się niczego wymuszać – poinstruowała. – Rozluźnij się i patrz na Myriam, mojego tęczowego ibisa. Wpatruj się w nią jak w ognisko w samotną noc.

Siedzący na drążku ptak rozłożył wielokolorowe skrzydła. Zakołysał głową, sprawiając, że na jego piórach ukazały się kaskady barw. Starając się podążać za instrukcjami Lenori, Conor pomyślał o ogniu. Próbował nie wpatrywać się w jeden punkt. Nie szukając żadnego konkretnego szczegółu, pozwolił, żeby tęczowy ibis znalazł się w centrum jego uwagi.

Lenori coś mówiła, ale Conor zagubił się w rytmie jej wypowiedzi. Głos kobiety był melodyjny, a tempo słów uspokajało go i koiło. Jak przez mgłę dostrzegł, że Briggan obraca się w miejscu najpierw w jedną, potem w drugą stronę. Poczuł się nagle bardzo śpiący. Zamrugał gwałtownie, lecz to wcale nie pomogło, ponieważ z każdym kolejnym zmrużeniem powiek komnata wokół stawała się coraz bardziej zamazana.

Conor patrzył w głąb mglistego tunelu. Skąd wziął się ten tunel? Chłopak szybował przez mgłę, nie czując, że się porusza. Na końcu dostrzegł niedźwiedzia brunatnego i szopa. Zwierzęta biegły po rozległej, zbrązowiałej prerii. Conor przyspieszył wysiłkiem woli, żeby się z nimi zrównać.

Nie czuł wiatru na twarzy ani żadnych innych fizycznych dowodów na to, że się porusza z dużą prędkością. Jednak kudłaty niedźwiedź biegł szybko, podobnie jak i szop. Oba zwierzęta wpatrywały się w horyzont. Gdy Conor też tam spojrzał, zobaczył łańcuch górski, zapierający dech w piersiach. Na krawędzi odległej grani widać było sylwetkę wielkiego barana, okoloną złotymi promieniami słońca.

Kiedy tylko Conor zauważył barana, poczuł, jak coś ciągnie go w tył. Wbrew własnej woli został wessany z powrotem w mglisty tunel, aż zwierzęta, na które przed chwilą patrzył, stały się jedynie kropkami widocznymi w oddali. Tunel się zapadł i zniknął.

Wtedy Conor zdał sobie sprawę, że zarówno Lenori, jak i Briggan z tęczowym ibisem wpatrują się w niego. Odkrył, że skóra lepi mu się od potu. W ustach czuł suchość i dziwny smak, jak po długim śnie.

– Co zobaczyłeś? – zapytała spokojnie Lenori.

– Co...? – Conor wyglądał tak, jakby nie mógł odzyskać równowagi. – Widziałem... widziałem szopa i kudłatego niedźwiedzia. Biegły w stronę jakichś gór. Widziałem Araxa stojącego wysoko na skałach. Wielki niedźwiedź i szop zmierzały prosto w jego kierunku.

– Niedźwiedź i szop – powtórzyła Lenori. – Czy coś jeszcze?

– Niewiele więcej. Skupiłem się głównie na nich. No i musiałem pokonać długi tunel.

Lenori uśmiechnęła się triumfalnie. Ujęła go za rękę i lekko ścisnęła.

– Udało ci się, Conorze. Zdaje się, że znalazłeś dla nas drogę.

Nie minęła nawet godzina i Conor pod eskortą przeszedł obok tuzina uzbrojonych strażników do wysoko sklepionej komnaty z zaciągniętymi zasłonami. Zastał tam Olvana, Lenori, Tarika, Rollana i Meilin. Wszyscy mieli ze sobą swoje zwierzoduchy. Wydra Tarika biegała po komnacie. Poruszała się nagłymi, szybkimi zrywami, buszując po meblach i półkach z książkami. Więź pomiędzy Tarikiem i Lumeo mogła budzić zdziwienie, ponieważ mężczyzna był bardzo poważny, w odróżnieniu od swojego psotnego zwierzoducha. Łoś Olvana stał w pobliżu kominka. Potężne cielsko zwierza zupełnie nie pasowało do zamkniętej przestrzeni. Komnata sprawiała wytworne wrażenie. Przypominała gabinet earla Trunswicku, była jednak jeszcze większa.

Olvan wstał, zatarł swoje wielkie dłonie i zmierzył pomieszczenie ostrym, przenikliwym spojrzeniem. Pomimo siwizny znaczącej jego włosy i brodę miał grube, mocne ramiona i szeroką pierś. Wiek jak dotąd nie pozbawił go siły ani wigoru. Conor z łatwością potrafił sobie wyobrazić, jak Olvan dosiada łosia i prowadzi do bitwy wielką armię.

Przywódca Zielonych Płaszczy odchrząknął głośno.

– Zdaję sobie sprawę, że dotąd trzymaliśmy was w niepewności co do ról, które, jak mamy nadzieję, zechcecie odegrać. Za zwłokę możecie winić tylko mnie, ponieważ zanim podzielę się z kimś wiedzą, wolę poznać wszystkie fakty. Przyłączenie się do Zielonych Płaszczy stanowi dla was jedynie pierwszy krok na drodze ku ważnemu celowi. Biorąc pod uwagę ostatnie wydarzenia – tu skinął Conorowi głową – jesteśmy już pewni, że nadszedł czas działania. – Podszedł powolnym krokiem do kominka. Kiedy się odwrócił, jego twarz przybrała grobowy wyraz. – Wiele stuleci temu, podczas ostatniej wojny światowej, cztery narody Erdas stoczyły bitwę z Pożeraczem i jego armią Zdobywców. Po stronie Pożeracza stanęły dwie z Wielkich Bestii: małpa Kovo oraz wąż Gerathon. Cztery Wielkie Bestie walczyły po naszej stronie. Trzy z nich są z nami w tej chwili. – Olvan przerwał i pozwolił, żeby znaczenie tych informacji dotarło do wszystkich obecnych w komnacie.

Conor nie mógł się uwolnić od poczucia, że nie pasuje do tego zgromadzenia, patrzył więc na Briggana, który zdawał się chłonąć każde słowo.

– Zanim Essix, Briggan, Jhi i Uraza się do nas nie przyłączyły, przegrywaliśmy wojnę. Walki toczyły się na wszystkich kontynentach. Większa część Nilo oraz Zhong zostały podbite. Uchodźcy z tych krajów zbiegli do Eury i Amayi, gdzie się przekonali, że również te państwa znajdują się w stanie oblężenia. Miasta zostały splądrowane. Wszędzie brakowało żywności. Ogłoszenie zwycięstwa przez Pożeracza było tylko kwestią czasu. My, Zielone Płaszcze, byliśmy wówczas młodą organizacją, ale kiedy cztery Wielkie Bestie udzieliły nam wsparcia, pod nasz sztandar zaczęli napływać Naznaczeni. I dokonaliśmy tego, czego nikt inny nie mógł zrobić: rozpoczęliśmy zmasowaną ofensywę i uderzyliśmy na Pożeracza. Cztery Wielkie Bestie oddały w tej walce życie, dlatego nazywamy je Czworgiem Poległych. Jednak dzięki nim zginął również Pożeracz, a Kovo i Gerathon zostali pojmani. Cena była wysoka, ale cztery narody odniosły zwycięstwo i zaczęły dzieło odbudowy.

– A co z innymi Bestiami? – spytał Rollan. – Co z pozostałymi dziewięcioma?

Olvan wzruszył ramionami.

– Niektóre udzieliły nam pomocy pod koniec wojny. Wielkie Bestie to niezwykła grupa. Rzadko są jednomyślne, a ich cele są niemal niemożliwe do poznania. Najczęściej trzymają się na uboczu i angażują w nasze sprawy tylko w sytuacjach najwyższego zagrożenia.

– Czyli co, Pożeracz nie był wystarczająco poważnym zagrożeniem? – prychnął Rollan.

Olvan westchnął.

– Możemy się tylko domyślać. Być może niektóre z Wielkich Bestii wolały bronić swojego terytorium lub talizmanów.

Conor spojrzał na Lenori z niemym pytaniem w oczach.

– Każda z Wielkich Bestii strzeże jedynego w swoim rodzaju talizmanu, który ma wielką moc – wyjaśniła kobieta.

– Każda poza Kovo, Gerathonem oraz Czworgiem Poległych – powiedziała Meilin. – Ich talizmany zaginęły po wojnie. Niektórzy podejrzewają, że to Tellun poprosił Halawira o ich ukrycie.

– Bardzo dobrze, Meilin – pochwalił Olvan. – Widzę, że znasz historię. Wydarzenia związane z Wielkimi Bestiami są często wkładane między bajki i legendy. Cieszę się, że w Zhong są ludzie, którzy uznali ich czyny za warte upamiętnienia czymś innym niż tylko baśnie dla dzieci.

Meilin poczerwieniała.

– Wiem o tym od niani, nie od nauczycieli.

Olvan ściągnął brwi.

– Nikt od dawna nie widział Wielkich Bestii. Oddajemy im cześć na flagach, malujemy ich wizerunki, stawiamy ich posągi i opowiadamy o nich legendy, ale dla większości ludzi Wielkie Bestie należą do czasów, które dawno już minęły. Niektórzy wręcz wątpią, czy one kiedykolwiek istniały.

– Sam w to nie wierzyłem – powiedział Rollan. – Dopóki nie pojawiła się Essix.

Olvan pokiwał głową.

– Trudno cię winić. To jest powszechne przekonanie, podzielane w różnym stopniu przez premiera Amayi, królową Eury, cesarza Zhong oraz najwyższego wodza Nilo. Mimo to Wielkie Bestie zawsze odgrywały ważną rolę w najbardziej krytycznych chwilach naszej historii. Teraz zaś stoimy u progu kryzysu, w którym ich udział może się okazać istotniejszy niż kiedykolwiek wcześniej.

– Myślisz, że Pożeracz wrócił? – spytała Meilin, która aż drżała ze wzburzenia. – Czy to on zaatakował Zhong? Dlaczego nikt nas nie ostrzegł?

– Mieliśmy wyłącznie podejrzenia – przyznał ze smutkiem Olvan. – Skierowałem ostrzeżenie do przywódców wszystkich narodów, ale nie mogłem ich przecież zmusić, aby mnie wysłuchali.

– Poza tym nadal nie znamy całej sytuacji – wyjaśniła Lenori.

Olvan przytaknął i mówił dalej:

– Co dzień otrzymujemy nowe wieści. Nadal nie jesteśmy pewni, czy mamy do czynienia z tym samym Pożeraczem, który dawno temu zrównał sporą część Erdas z ziemią, czy też z jakimś jego dziedzicem. Ale jedno jest pewne: Pożeracz może w krótkim czasie zebrać olbrzymie, potężne armie. W razie konieczności potrafi być cierpliwy i przebiegły lub bezwzględny i zuchwały. Jego ludzie czczą go z szaleńczym oddaniem. Pożeracz z radością zniszczyłby cywilizowany świat tylko po to, aby rządzić na jego gruzach.

– Co mamy robić? – zapytał Conor.

Olvan spojrzał kolejno na Conora, Meilin i Rollana.

– Nasi szpiedzy odkryli, że Pożeracz znów uważa zebranie talizmanów za sprawę największej wagi. Musicie wiedzieć, że każdy z nich posiada inne moce. Oprócz Wielkich Bestii mogą ich używać także Naznaczeni. Nasz wróg pragnie wykorzystać te moce w walce przeciwko nam, dlatego musimy go uprzedzić i odnaleźć talizmany pierwsi.

– Zaraz – przerwał mu pobladły nagle Rollan. – Chcecie, żebyśmy to my odszukali talizmany Wielkich Bestii?

– Nie będziecie sami – zapewnił Olvan. – Nie ma wśród Zielonych Płaszczy bardziej wprawnego wojownika niż Tarik. On będzie waszym przewodnikiem i obrońcą. Żałuję, że wszyscy jesteście tacy młodzi, ale wasza więź z Poległymi będzie miała ogromne znaczenie dla odnalezienia i odzyskania talizmanów. One mogą zmienić losy tej wojny. Erdas was potrzebuje.

Conor poczuł, jak ogrom zadania przyprawia go o zawrót głowy. W jaki sposób miał stawić czoła Wielkim Bestiom? Zadanie było nie tyle niebezpieczne, ile samobójcze. Olvan praktycznie wydał na nich wyrok śmierci.

Chłopak sięgnął ręką ku Brigganowi. Wilk ostrożnie potarł nosem jego dłoń. Bez Briggana nie zdołają przecież odszukać Araxa...

Conor próbował wziąć się w garść. Olvan miał rację: jeśli Pożeracz potrzebował talizmanów, wojownicy z Zielonych Płaszczy musieli go uprzedzić. On sam nie miał pojęcia, jak to zrobić, ale wiedział, że muszą spróbować.

– Zrobimy, co do nas należy – obiecał, choć głos nieco mu się załamywał.

– Mów za siebie – rzucił Rollan.

– Miałem na myśli siebie i Briggana – wyjaśnił Conor, czerwieniąc się.

– Taa, jasne – odparł Rollan, po czym zwrócił się do Olvana: – Teraz rozumiem, do czego jesteśmy wam potrzebni. Chcę jednak wiedzieć, co my będziemy z tego mieli? Oczywiście poza ryzykiem utraty życia podczas próby dokonania czegoś, na co nie jesteśmy gotowi.

– Taki jest obowiązek Zielonych Płaszczy – stwierdziła spokojnie Lenori. – A twoja nagroda będzie taka sama jak nasza. To satysfakcja z obrony tego, co słuszne. Z obrony Erdas.

– Nie należę do Zielonych Płaszczy – powiedział Rollan. – I wcale nie jestem pewien, czy zamierzam należeć.

– Zrobimy to – odezwała się Meilin, mierząc Rollana spojrzeniem pełnym odrazy. – Jhi i ja. Tego właśnie chciałam: okazji do działania na rzecz zmiany na lepsze. Widziałam to, co nadchodzi. Zhong ma najlepszą armię na świecie, a i tak zostaliśmy rozbici w pył. Nie możemy pozwolić, żeby wróg zyskał jeszcze większą moc. Trzeba go powstrzymać. Przyłączenie się do was i walka w obronie Zhong będzie dla mnie zaszczytem.

Conor przyglądał się Meilin z podziwem i odrobiną strachu. Nie umiał sobie wyobrazić, jakie niebezpieczeństwa czyhają na niego i Briggana, ale teraz przynajmniej nie będą musieli stawiać im czoła samotnie. Za to Rollan... Za kogo on się uważał? I jakiej oczekiwał nagrody?

Rollan westchnął.

– A jeśli nie chcę wstąpić do waszej organizacji?

– Jak możesz być tak samolubny?! – Meilin aż wrzała z gniewu. – Zhong zostało zaatakowane, resztę Erdas także to czeka. Jakich to propozycji oczekuje tchórz podczas wojny?

– Przed pojawieniem się Essix nikt nigdy nie składał mi żadnych propozycji – warknął Rollan. – Członkowie Zielonych Płaszczy zainteresowali się mną tylko z powodu sokolicy. W moim mieście pełno jest takich jak ja sierot, które Olvan ominąłby szerokim łukiem, gdyby nie znalazł Essix. Może się zastanawiam, dlaczego wśród Zielonych Płaszczy są wyłącznie Naznaczeni? Może chciałbym wiedzieć, kto dał im władzę nad Wielkimi Bestiami i ich talizmanami? I może, w przeciwieństwie do ciebie, nie lubię, kiedy ktoś zmusza mnie do wzięcia udziału w czymś, co wcale mi się nie podoba! Chcę wiedzieć, dla kogo dokładnie pracuję i dlaczego to robię!

Olvan spojrzał na Tarika i Lenori. Wstał, powoli podszedł do fotela Rollana i wpatrzył się w siedzącego chłopca. Conor się zastanawiał, czy próbuje zastraszyć Rollana, ale kiedy mężczyzna przemówił, jego głos był zupełnie spokojny.

– Potrafię zrozumieć to, że potrzebujesz czasu na podjęcie tak ważnej decyzji. Myślę, że jeśli będziesz przebywał wśród Zielonych Płaszczy wystarczająco długo, przestaniesz wątpić w naszą uczciwość. Nie uważamy, że mamy jakąkolwiek władzę nad Wielkimi Bestiami. Wykonujemy nasze obowiązki, ponieważ wiemy, że wraz z Wielkimi Bestiami stanowimy ostatnią linię obrony.

– A co z rządami? – zapytał Rollan. – Z premierem i z nimi wszystkimi?

Olvan skrzywił się sceptycznie.

– Rządy robią to, co robią, czyli rządzą. Tworzą prawa i pilnują ich przestrzegania. Kłócą się o handel i od czasu do czasu toczą wojny. To zwykłe spory, ludzkie kłótnie. Nam dane jest jednak dostrzegać to, co leży poza troskami ludzi. Każdy z nas otrzymał w darze zwierzoducha. Dlatego będziemy chronić Erdas, całą Erdas, na wszelkie możliwe sposoby.

Rollan zacisnął wargi.

– Nie jestem szalony. Nie chcę, żeby Erdas zamieniła się w pustkowie. – Przerwał, zastanowił się. – A gdybym... gdybym stwierdził, że nie jestem gotów, żeby się przyłączyć do Zielonych Płaszczy, ale chcę wam pomóc?

– Pozwól, że coś ci zaproponuję – odparł Olvan. – Często zdarza nam się pracować z Naznaczonymi, którzy nie złożyli naszych ślubów. Zazwyczaj nie dopuszczamy takich osób do naszych największych tajemnic, ale okoliczności są nadzwyczajne.

– Muszę się z tym przespać – poprosił Rollan.

Conor odwrócił głowę i zamknął oczy. Bez względu na to, kto miał mu towarzyszyć, wiedział, że jutro przyjdzie mu wyruszyć w dzicz, żeby odszukać legendę. Nachylił się do swojego wilka i wyszeptał:

– W co myśmy się wpakowali?

10

SEN

Meilin szła po drewnianym pomoście przez wypielęgnowany ogród, trzymając na ramieniu delikatną parasolkę. Dotarła do mostka biegnącego nad strumykiem łączącym dwa stawy. W wodzie leniwie pływały ozdobne karpie, połyskując łuską o barwach czerwieni, pomarańczy, żółci i bieli pośród fioletowych kwiatów lilii.

Choć dom był niewidoczny zza zasłony drzew i krzewów, Meilin rozpoznałaby każdą część ogrodu swojego dziadka Xao. Dorastała, spacerując po tych ścieżkach, pośród zapachu kwitnących lilii.

Meilin zmarszczyła czoło, gdy dostrzegła, że zmierza ku niej panda. Poza rybami w stawach i ptakami wśród drzew zwierzęta nigdy nie pojawiały się w tym ogrodzie.

Panda podeszła do niej na mostek i stanęła na tylnych łapach.

– Tęsknisz do Zhong – powiedziała. Jej głos był głęboki, kobiecy.

Z jakiegoś powodu Meilin w ogóle się nie zdziwiła, że zwierzę mówi.

– Dlaczego miałabym tęsknić?

Panda nie odpowiedziała.

Nagle Meilin wszystko sobie przypomniała. Lenori zabrała ją z Zhong. W czasie kiedy jej ojciec toczył wojnę ze straszliwymi najeźdźcami, ona uciekła na drugi koniec świata – do Amayi. Do Nowej Krainy.

Jak znalazła się w ogrodzie dziadka? Wcale w nim nie była. To był sen.

Meilin przyjrzała się pandzie z ciekawością.

– To ty, Jhi?

Panda pokiwała głową.

– Przykro mi, że jestem dla ciebie rozczarowaniem.

– Nie jesteś... – zaczęła Meilin, ale nie dokończyła zdania, tylko westchnęła głęboko. – Trwa wojna. Liczyłam, że przywołam zwierzę, które pomoże mi w walce. Lubię cię, ale... mój dom i mój ojciec są w niebezpieczeństwie.

– Ja też chcę cię polubić. Daj mi szansę, a może się przekonasz, że jestem bardziej przydatna, niż sądzisz.

– Lenori mówiła mi, że byłaś znana jako zdolna uzdrowicielka. Nazywali cię Poszukiwaczką Pokoju i Dawczynią Zdrowia.

– Tak, między innymi. Meilin, posłuchaj mnie. Powinnaś wejść do środka. To nie jest pogoda na spacer.

Meilin spojrzała w niebo. Słońce świeciło jasno. Jedynie w oddali widoczne były rzadkie, białe chmury.

– Nie wygląda tak źle.

– Nie chcesz tu zostać – powiedziała panda.

Ostrzeżenie odebrało Meilin pewność. Dziewczyna poczuła lekki chłód. Rozejrzała się, wypatrując zagrożenia.

– Zamknij oczy – nalegała Jhi. – Nie zwracaj uwagi na tę iluzję. Skup się.

Meilin przymknęła powieki. Na czym miała się skupić? Poczuła na skórze mroźny chłód i... tak, rzeczywiście – dotarło do niej, że jest zmarznięta i przemoczona. Objęła się ramionami, drżąc na całym ciele.

Otworzyła oczy, ale ogród wcale nie zniknął. Panda nadal się w nią wpatrywała.

– Zimno mi.

– Nie chcesz tu zostać – powtórzyła Jhi.

Meilin się odwróciła i pobiegła drewnianym chodnikiem przed siebie. Wokół niej trwał przyjemny dzień, ale ona czuła na skórze tylko chłód i wilgoć. Łomocząc o deski tworzące ścieżkę, mijała kolejne zakręty, które miały ją doprowadzić do drzwi w murze. Może gdyby zdołała uciec z ogrodu, uciekłaby również z tego snu?

Zaniepokojona dziwnym chłodem, nadal się rozglądała za oznakami niebezpieczeństwa, ale dookoła panował ciągle sielski spokój. Kiedy dotarła do wyjścia, zorientowała się, że jest ono zamknięte. Szarpnęła za klamkę i mocno naparła na drzwi ramieniem, jednak nie udało jej się ich otworzyć.

To był sen. Co by było, gdyby wyobraziła sobie, że ma siłę, żeby wyważyć grubą furtkę? Cofnęła się nieco, ustawiła bokiem i rzuciła się na nią.

Uderzenie wydało jej się zadziwiająco realne. Odbiła się od drzwi i upadła, a to w końcu wyrwało ją ze snu. Gdy podniosła powieki, przed oczami miała niezwykłą scenę. Wokół panowały ciemności. Ulewny deszcz przemoczył jej nocny strój. W słabym świetle księżyca zobaczyła, że stoi na dachu wieży z blankami. Wieża Zachodu! Co jednak robiła na dachu? W środku nocy? Podczas ulewy?

Meilin, przemarznięta i całkiem przemoczona, wstała niepewnie. Przed nią znajdowały się mocne, drewniane drzwi, śliskie od deszczu. Złapała za klamkę, lecz były one zamknięte. Nadal czuła ból ramienia, którym usiłowała je sforsować.

Już trzeci raz od pojawienia się Jhi dziewczyna lunatykowała. Ale wcześniej nie towarzyszyły temu doświadczeniu żadne sny. Za to za każdym razem, gdy się budziła, znajdowała się w nietypowych miejscach i robiła różne dziwne rzeczy. Jednak to, co przytrafiło jej się teraz, było zdecydowanie najdziwniejsze.

Meilin szarpnęła raz jeszcze za klamkę, ale drzwi trzymały mocno. Czy ktoś usłyszałby jej krzyki? Albo kołatanie?

Kiedy Meilin powiedziała Lenori o lunatykowaniu, Amayanka wyjaśniła jej, że ludzie dostosowują się do więzi ze zwierzoduchami w najdziwniejsze sposoby. Powszechne były niezmiernie realne koszmary, nagłe zmiany nastroju, ataki paniki, a nawet wysypki. Zaobserwowano też najróżniejsze skutki uboczne, a lunatykowanie nie było na ich tle szczególnie niezwykłe.

Sytuacja była jednak głupia! Meilin słyszała szczękanie własnych zębów. Wiedziała, że zimno oznacza prawdziwe niebezpieczeństwo.

Załomotała w drzwi i zaczęła krzyczeć, lecz jej wysiłki nie wywołały zbyt dużego hałasu. Wiatr przybrał na sile i nagle zrobiło jej się tak zimno, że zapiszczała płaczliwie. Zaczęła biec w miejscu i machać ramionami, wszystko po to, żeby wytworzyć nieco ciepła.

Wtedy usłyszała, że ktoś zdejmuje zasuwę. Drzwi się otworzyły. Za nimi panowała ciemność.

– Jest tam kto?! – zawołała niepewnym głosem Meilin, zaciskając pięści. Wcale nie miała chęci wchodzić głębiej w nieprzebyty mrok.

Zimne ukłucia deszczu ani na moment nie słabły.

Jasny błysk pioruna, pierwszy od chwili nagłego przebudzenia dziewczyny, na mgnienie oka oświetlił czarno-białą postać.

– Jhi? – zapytała Meilin.

Ryknął grzmot. Za drzwiami znów zapadła nieprzenikniona ciemność.

– Jhi, to ty?

Panda nie odpowiedziała.

Meilin poczuła się głupio, że oczekiwała odpowiedzi.

Weszła do środka, zamknęła drzwi, po czym przyklękła i przytuliła pandę. Jhi była taka ciepła i kojąca. Dziewczyna nie puszczała jej przez dłuższą chwilę, tuląc się do jej gęstego futra i ciesząc się jej zapachem – jak nigdy dotąd.

– Znowu lunatykowałam – szepnęła. – I tym razem wpakowałam się w prawdziwe kłopoty. Dziękuję, że mnie znalazłaś.

Panda nic nie mówiła, ale Meilin miała pewność, że ją zrozumiała. Wstała i oparła dłoń o najbliższą ścianę, żeby łatwiej odnaleźć drogę w ciemności.

– Wracajmy do łóżka.

11

GAR

Abeke! – wołał Shane. – Abeke, gdzie jesteś?!

Abeke nie poruszyła się, a jedynie lekko uśmiechnęła. Siedziała na drzewie, a Uraza w bezruchu czaiła się na pobliskiej gałęzi.

Chłopak hałaśliwie zbliżał się coraz bardziej do ich kryjówki.

– To nie pora na zabawę! Pamiętasz tych ważnych gości, o których ci opowiadałem? Już tu są! Nie powinniśmy kazać im czekać!

Od chwili przybycia na wyspę, Shane ciągle mówił o ważnych gościach, którzy najwyraźniej robili na nim duże wrażenie.

Pod wieloma względami Shane był pierwszym prawdziwym przyjacielem Abeke. Nie tylko ocalił jej życie, lecz także opiekował się nią, trenował z nią i żartował. Doceniał jej umiejętności łowczyni, jej siłę i skrytość, czyli cechy, które ona sama uznawała za najważniejsze. Wcześniej jedynie matka dawała jej podobne poczucie akceptacji.

Mimo to Abeke nadal miała wiele pytań na temat ludzi, dla których Shane pracował. Nie nosili oni zielonych płaszczy, ale wydawało się, że są dobrze zorganizowani. Mieli statki, pokaźny fort i wielu wyszkolonych żołnierzy. Wszyscy posiadali też zwierzoduchy. Kim byli? I dlaczego wzbudzali w Urazie taki niepokój? Abeke nie próbowała jednak zmusić Shane'a do odpowiedzi. Bała się tego, co mogłaby usłyszeć.

Jednak teraz nie dlatego się schowała.

– W porządku, Abeke – rzucił Shane. – Przyznaję, że jesteś coraz lepsza. Nawet na tej wysepce ty i Uraza mogłybyście mnie unikać tak długo, jak zechcecie.

– Tylko to chciałam usłyszeć – odparła wesoło Abeke.

– Tu jesteś! – powitał ją Shane. – Wybrałaś najgorszy możliwy moment, żeby udowodnić swoje umiejętności.

Abeke zeszła z drzewa, a Uraza skoczyła i wylądowała tuż obok niej.

– Poddałeś się, więc to musiał być dobry moment.

– Widzę, że ty i Uraza stanowicie coraz lepszy zespół. Nasi goście się ucieszą.

– Naprawdę już tu są? – zapytała Abeke. Myślała, że chłopak próbował po prostu wywabić ją z kryjówki.

– Nie tylko tu są, ale już na nas czekają.

Abeke poczuła zdenerwowanie, choć miała nadzieję, że nie było tego po niej widać.

– Prowadź – powiedziała.

Rozpoczęli marsz w stronę fortecznych budynków, otoczonych murem.

– Powinnaś uśpić Urazę.

– Nie będą chcieli jej zobaczyć?

– To będzie dowód twoich umiejętności – wyjaśnił Shane. – Pokażesz, że potrafisz przenieść swojego zwierzoducha w stan uśpienia, mimo że jesteś jeszcze młoda. Poza tym w ten sposób okażesz im szacunek. Niektóre z ich zwierząt nie najlepiej reagują na towarzystwo. Jeśli będziesz miała Urazę przy sobie, oni będą musieli uśpić swoje zwierzoduchy. Więc to by było niegrzeczne.

Abeke rozumiała, co Shane miał na myśli. Tylko czy oczekiwanie, że to ona uśpi Urazę, nie było niegrzecznością ze strony gości? Jednak skoro przybysze najwyraźniej wiele znaczyli dla Shane'a, postanowiła się z nim nie spierać. Wyciągnęła rękę i zawołała Urazę. W kłującym oczy błysku światła lamparcica znów stała się tatuażem na skórze dziewczyny.

Do fortu nie było daleko. Po minięciu masywnej, żelaznej bramy Shane zaprowadził Abeke do centralnego budynku, a tam udali się do głównej izby. Przed ciężkimi drzwiami stało dwóch strażników, których Abeke nie znała. Obaj skłonili się Shane'owi i pozwolili im wejść.

Goście zebrali się pod jedną ze ścian kamiennej izby. Znajdował się tam również tron, na którym zasiadał rosły mężczyzna o królewskim wyglądzie, dopiero wchodzący w jesień życia. Na jego skroniach widoczne były nitki siwizny, jego kanciastą twarz zdobił wystający podbródek. Na głowie mężczyzna nosił diadem w kształcie węża połykającego własny ogon. Ciemnymi oczami, spod ciężkich łuków brwiowych, bardzo uważnie obserwował Abeke.

Przed jego tronem wylegiwał się ogromny krokodyl. Abeke nie miała pojęcia, że te gady potrafią osiągać takie rozmiary. Od głowy do ogona potwór miał długość pięciu wojowników!

– To król – mruknęła Abeke.

– Tak – potwierdził szeptem Shane. – Zachowuj się odpowiednio.

Po jednej stronie tronu usiadła na stołku pomarszczona, stara kobieta, odziana w łachmany. Z kącika jej zwiędłych warg kapała ślina. Po drugiej stronie tronu stał Zerif. Miał na sobie bardziej elegancki strój niż podczas ich ostatniego spotkania, włosy zaczesał do tyłu.

– Zerif! – krzyknęła Abeke. Do tego stopnia skupiała uwagę na królu i jego krokodylu, że dopiero teraz rozpoznała swojego niedawnego opiekuna.

Zerif ukłonił jej się dwornie.

– Mówiłem, że jeszcze się spotkamy. – Gestem wskazał tron. – Pozwól, że ci przedstawię generała Gara, króla zaginionego kontynentu. Panie, poznaj Abeke, która przyzwała Urazę.

– To nie lada wyczyn – powiedział mężczyzna na tronie. Jego głos budził respekt. Nie był może szczególnie niski ani donośny, ale pełen charakteru, podobnie jak twarz generała. Był to głos człowieka nawykłego do wydawania rozkazów.

– Czy to twój krokodyl? – zapytała Abeke.

Władca uniósł brwi.

– Istotnie. Krokodyl słonowodny. Pochodzi z kontynentu Stetriol.

Abeke zmarszczyła brwi. Stetriol? Na Erdas były tylko cztery kontynenty i żaden nie nazywał się Stetriol.

Olbrzymi krokodyl znów przyciągnął jej spojrzenie. Dziewczyna zadrżała. Słyszała o jednym tylko człowieku, który przywołał krokodyla słonowodnego. Był nim Pożeracz.

– O czym myślisz, Abeke? – zapytał generał Gar. – Mów śmiało.

– Chodzi o to, że... – Abeke się zawahała. – Nie słyszałam o zbyt wielu tak ogromnych krokodylach będących zwierzoduchami.

– Tylko o jednym, czy mam rację? – powiedział generał Gar ze znaczącym uśmieszkiem i lekceważąco machnął ręką. – Ciągle ktoś o tym wspomina. Pożeracz, ten z bajek dla dzieci, miał mieć za towarzysza krokodyla słonowodnego. Ale on od dawna nie żyje. Wiem, że na całej Erdas rzadko się to przytrafia, ale w Stetriolu przyzwanie krokodyla słonowodnego to żaden powód do zdziwienia. Zdarza się od czasu do czasu.

Abeke spojrzała na Shane'a, potem na Zerifa. Obaj wydawali się spokojni.

– Rozumiem – powiedziała.

– To prawda, Abeke – potwierdził Shane. – Historia nie wspomina o Stetriolu, ale to miejsce naprawdę istnieje. Tam właśnie się urodziłem.

– Shane ma rację – zapewnił ją Zerif. – Historię spisali członkowie Zielonych Płaszczy, którzy celowo zignorowali istnienie Stetriolu. Co zresztą wcale nie jest zaskakujące. Popełnili straszne zbrodnie na ludziach z naszego kontynentu.

Abeke spojrzała na Zerifa badawczo.

– Mówiłeś mi kiedyś, że współpracujesz z Zielonymi Płaszczami.

– Rzeczywiście, od czasu do czasu. Niektórzy z nich to wspaniali ludzie, inni zaś chcą podporządkować sobie cały świat. Ich organizacja od dawna jest skorumpowana, a ostatnio jest jeszcze gorzej. Nikt nie wie więcej na temat Pożeracza niż lud Stetriolu, bo to nasz kontynent jako pierwszy ten tyran podbił przed laty. Byliśmy wdzięczni Zielonym Płaszczom za to, że uwolnili nas od jego zła. Aż do dnia, kiedy zwrócili się przeciw nam. Chcieli zniszczyć wszystko, co żyło na naszym kontynencie, również mężczyzn, kobiety i dzieci, tak jakby to zwykli ludzie byli odpowiedzialni za to, czego się dopuścił Pożeracz. Najpierw cierpieliśmy tyranię Pożeracza, a potem, kiedy został on pokonany przez Zielone Płaszcze, cierpieliśmy jeszcze bardziej. Niektórym z nas udało się przetrwać, ale tylko dlatego, że zdołaliśmy się ukryć.

Abeke ani na chwilę nie mogła oderwać wzroku od ciemnych oczu Zerifa, który ciągnął dalej:

– Członkowie Zielonych Płaszczy wstydzili się swoich zbrodni i próbowali ukryć fakt, że Stetriol kiedykolwiek istniał. W dużej mierze im się to udało. Wymazali cały kontynent z historii oraz map świata. Ale nie wszyscy ludzie ze Stetriolu zginęli. Ci, którym udało się ocaleć, mieli dzieci. Generał Gar jest ich królem.

Abeke rzuciła Shane'owi zaciekawione spojrzenie. Wszystkie te informacje były dla niej nowością, ale uważała, że są prawdopodobne.

– To zrozumiałe, że jesteś zdumiona – powiedział generał Gar. – Może wydaje ci się, że jesteś wśród nieprzyjaciół, bo zdaniem Zielonych Płaszczy każdy poza nimi musi być wrogiem, ale to jest dalekie od prawdy.

Chinwe była jedyną przedstawicielką Zielonych Płaszczy, jaką Abeke poznała. Zawsze wydawała się nieco tajemnicza, ale naprawdę troszczyła się o wioskę. W jej opowieściach bohaterowie zawsze należeli do Zielonych Płaszczy, jednak skoro to oni spisywali historię...

Generał Gar poprawił się na tronie i uniósł jedną brew.

– Wojna należy do zamierzchłej przeszłości. Nie czujemy nienawiści do Zielonych Płaszczy. Ci, którzy zgotowali rzeź naszym przodkom, dawno już nie żyją. Wybacz nam jednak, że zaufanie do Zielonych Płaszczy przychodzi nam z trudem. Już raz próbowali nas wyrżnąć i mogą to ponownie zrobić. Dlatego przetrwaliśmy tyle stuleci bez Nektaru, a nasz lud musiał znosić choroby i dolegliwości, które towarzyszą tworzeniu się więzi bez dostępu do Nektaru.

Abeke znów spojrzała na Shane'a.

– To straszne! A więc twoja więź...

– Powstała bez Nektaru – potwierdził chłopak. – Ja miałem szczęście, ale wielu moich przyjaciół i krewnych nie.

Abeke z zaskoczeniem zdała sobie sprawę, że oczy kolegi zrobiły się mokre. Nigdy dotąd nie wyglądał on na tak bezbronnego.

– Nie chcemy skrzywdzić Zielonych Płaszczy – kontynuował generał Gar. – Nie chcemy też skrzywdzić innych narodów Erdas. Chcemy tylko szansy na to, aby chronić nasz lud przed skutkami więzi powstających w sposób naturalny. Problem polega na tym, że to Zielone Płaszcze mają kontrolę nad Nektarem i wykorzystują to do sprawowania władzy nad ludami Erdas. A powinni udostępnić Nektar wszystkim.

– Przecież się nim dzielą – powiedziała Abeke, wspominając Chinwe.

– Co lepsi z nich, tak – potwierdził generał Gar. – Ale wyłącznie na własnych warunkach. Żądają w zamian wpływów i kontroli. A rozmawiamy przecież o najlepszych spośród Zielonych Płaszczy. Niektórzy zachowują Nektar tylko dla siebie albo, co gorsza, podają dzieciom fałszywy napój. W Zhong i Amayi stanowi to już straszliwy problem, który coraz bardziej się rozprzestrzenia.

– To niezbyt sprawiedliwe – musiała przyznać Abeke.

– Właśnie – rzucił Shane. – Nie możemy jednak ryzykować zwrócenia się do nich z bezpośrednią prośbą. Gdyby się dowiedzieli, że w Stetriolu ktoś jednak przeżył, mogliby ponownie zechcieć nas zniszczyć.

– Mamy plan, jak przemówić im do rozsądku – powiedział Zerif. – Wiesz, że każda z Wielkich Bestii posiada swój talizman?

– Pamiętam, że moja matka opowiadała o nich jakieś historie – odparła niepewnie Abeke.

– Każdy talizman zawiera w sobie moce, które potrafią wykorzystywać Naznaczeni – wyjaśnił Zerif. – Zielone Płaszcze szukają obecnie talizmanów Wielkich Bestii. Pragną je kontrolować w taki sam sposób, jak teraz kontrolują Nektar.

– Zamierzamy pierwsi znaleźć talizmany – powiedział generał Gar. – Wówczas przywódcy Zielonych Płaszczy nie będą mieli wyboru i będą zmuszeni nas wysłuchać. Talizmany zapewnią nam też ochronę, na wypadek gdyby znów spróbowali zniszczyć Stetriol. Nie możemy dłużej tracić najbliższych z powodu chorób wywołanych więzią tworzącą się naturalnie. Jest nas zbyt mało, dlatego zaryzykujemy wszystko, aby zdobyć kilka z owych talizmanów. Abeke, mamy nadzieję, że ty i Uraza zechcecie nam w tym pomóc.

Abeke była zdumiona.

– Ja? Ale jak mam wam pomóc? Nic nie wiem o żadnych talizmanach. Chyba że... Czy myślicie, że Uraza też ma swój talizman?

– Uraza straciła talizman w chwili śmierci, podobnie jak pozostali z Czworga Poległych – powiedział Zerif. – Nikt nie wie, co się z nimi stało, ale nasi ludzie już ich szukają. Dowodzi nimi Drina, siostra Shane'a.

– Nie chcemy od ciebie żadnych informacji – wyjaśnił król i wskazał staruchę siedzącą na stołku. – Mamy Yumaris. Jej zwierzoduchem jest dżdżownica. Yumaris traci kontakt z rzeczywistością, ale nadal widzi niezwykle przenikliwie. To dzięki niej Zerif cię odnalazł. Zlokalizowała niedawno jeden z talizmanów, w Amayi. Chcę, abyś wraz z Zerifem i Shane'em pomogła nam go odnaleźć.

– Ty i Uraza możecie pomóc w naprawie świata – poprosił Zerif. Jego twarz wyrażała prawdziwą szczerość. – Przyłącz się do nas, pomóż nam chronić naszą ojczyznę oraz udostępnić Nektar każdemu, kto go potrzebuje.

Abeke zmarszczyła czoło. Coś jej się nie podobało. Ufała Shane'owi, ale te wszystkie nowe informacje trochę ją przerastały.

– A co z ludźmi, którzy tworzyli potwory?

Generał Gar pokiwał głową.

– Shane powiedział mi o twojej niefortunnej przygodzie. To nie byli nasi ludzie, ale wiem o ich istnieniu. Nieustannie prowadzą eksperymenty, bo starają się znaleźć środek, który mógłby zastąpić Nektar. Podzielam ich pragnienie udostępnienia Nektaru wszystkim potrzebującym, ale nie podobają mi się ich metody.

– To był okropny wypadek – dodał Zerif. – Nasz wysłannik jest już w drodze. Ma ich poinformować o tym, jak niebezpieczne jest to, co robią, i zakazać im prowadzenia eksperymentów na naszym terenie.

Abeke skinęła głową z aprobatą. Miała nadzieję, że za tworzeniem potworów nie stali ludzie generała Gara, ale musiała się upewnić, że tak jest. Sprawa, jaką reprezentowali Gar i jego poddani, wydawała się słuszna. Każdy miał przecież prawo bronić własnego domu.

Chinwe nazywała Zielone Płaszcze obrońcami Erdas, jednak zawsze trzymała w tajemnicy wszystko, co dotyczyło Nektaru. A Chinwe prawdopodobnie była jednym z tych dobrych ludzi wśród Zielonych Płaszczy.

Wyglądało na to, że generał Gar, Zerif i Shane szanowali Abeke, a co ważniejsze – potrzebowali jej pomocy. Podjęli wiele starań, żeby ją odnaleźć i wyszkolić. Być może jej umiejętności skrytej łowczyni mogły się okazać przydatne podczas poszukiwania talizmanów.

Shane ujął Abeke za rękę.

– Wiem, że trudno od razu przyjąć to wszystko do wiadomości – stwierdził. – Wciągamy cię w nasze problemy. Jeśli potrzebujesz czasu, żeby to sobie przemyśleć, po prostu powiedz.

Abeke pokręciła głową. Stała przed obliczem króla, który prosił ją o pomoc. A razem z nim – jej pierwszy bliski przyjaciel oraz człowiek, któremu ojciec powierzył opiekę nad nią. Szczegóły mogła poznać później. Teraz zamierzała zrobić, co tylko w jej mocy. Ścisnęła dłoń Shane'a.

– Możecie na mnie liczyć – oświadczyła. – Pomogę wam odnaleźć talizmany.

12

MIASTO GŁAZÓW

Czwórka koni galopowała starym, zarośniętym szlakiem, okolonym niskimi krzewami. Długa, nierówna grań od czasu do czasu ustępowała wyschniętej ziemi. Rollan zamykał czterokonny szyk. Do zeszłego tygodnia nigdy nie siedział w siodle. Teraz, po kilku dniach spędzonych na końskim grzbiecie ból jego dolnych partii ciała zaczynał ustępować i Rollan czuł się coraz swobodniej jako jeździec. Wszystkie konie były rumakami bojowymi, hodowanymi przez Zielone Płaszcze nie tylko ze względu na siłę i wytrzymałość, lecz także inteligencję i lojalność. Rollan się domyślał, że trudno było o lepszych znawców tych zwierząt.

Conor jechał przed nim, dalej Meilin, a Tarik przewodził kawalkadzie. Wszyscy mieli na sobie zielone płaszcze, tylko Rollan dostał od Olvana szarą opończę.

Przywódca Zielonych Płaszczy dobił z Rollanem targu. Ustalili, że jeśli chłopak pomoże odnaleźć pierwszy z talizmanów, w zamian otrzyma wystarczająco dużo pieniędzy, żeby przeżyć cały rok, a do tego przywilej przyjaźni Zielonych Płaszczy. Oznaczało to, że będzie mu wolno zatrzymywać się w dowolnej wieży oraz – Rollan upewnił się co do tego punktu umowy – korzystać z ich spiżarni. Musiał się tym zadowolić do czasu odszukania pozostałych talizmanów. Gdyby to się im udało, organizacja Zielonych Płaszczy miała mu przekazać posiadłość ziemską i zapłacić tyle pieniędzy, że wystarczyłoby mu na pięć żyć. Olvan podkreślił, że w dowolnym momencie Rollan ma prawo zrezygnować z nagród i przyłączyć się do Zielonych Płaszczy.

Przed jeźdźcami wyrastał z wolna wierzchołek stromizny, więc Tarik ściągnął wodze konia i zwolnił do zwykłego chodu. Pozostali podążyli za jego przykładem. Krążąca nad nimi Essix wydała z siebie krzyk, a potem spiralnie sfrunęła w dół, żeby usiąść na ramieniu Rollana. Jhi podróżowała uśpiona na ręce Meilin, wydra Tarika leżała zwinięta w kłębek na tylnym łęku siodła, a Briggan niestrudzenie truchtał obok wierzchowca Conora.

Ze szczytu wzgórza Rollan z towarzyszami zobaczyli wiejską osadę. Nierówne rzędy chat z glinianych cegieł, suszonych na słońcu, przedzielało kilka niebrukowanych ścieżek. Widać było ludzi, wozy, konie i kilka psów. Pomimo ożywienia panującego w osadzie liczba jej mieszkańców nie mogła się nawet równać z zaludnieniem Concorby. Żaden z budynków nie wydawał się Rollanowi szczególnie okazały, a kilka było wręcz w opłakanym stanie. Niski mur otaczający osadę ułożono z kamieni, co wydało się chłopcu żałosne.

– Nasze pierwsze miejsce przeznaczenia – powiedział Tarik. – Miasto Głazów.

– Bardziej pasowałaby nazwa Wioska Kamyczków – prychnął Rollan.

– Inne określenie to Sanabajari – ciągnął Tarik. – Osadnicy wolą jednak swoją nazwę. Na amayańskim dalekim zachodzie osiedla są z reguły nieduże. Mało kto ma dość odwagi, żeby stawić czoła niebezpieczeństwom, jakie czyhają poza zasiedlonymi rejonami kontynentu. Miejscowi osadnicy to twardy lud, dlatego rozsądnie byłoby z nich nie kpić.

– Teraz rozumiem, dlaczego Amaya jest nazywana Nową Krainą – stwierdziła Meilin. – W Zhong nie ma okolic tak bardzo... niecywilizowanych.

– Zhong znane jest jako Kraina za Murem – skomentował Tarik. – W obrębie Muru kraj jest rozwinięty i zadbany. Widziałem jednak zakątki kontynentu leżące poza Murem, w porównaniu z którymi Miasto Głazów wydaje się wyrafinowanym ośrodkiem cywilizacji.

– To tu mamy znaleźć niedźwiedzia i szopa? – zapytał Conor.

– Jeśli tylko Lenori i Olvan właściwie zinterpretowali wizje – odparł Tarik. – Barlow i Monte należeli niegdyś do Zielonych Płaszczy z Wieży Zachodu. Obaj złamali jednak śluby, żeby zostać odkrywcami. Ostatnich piętnaście lat spędzili na wędrówkach po zachodzie Amayi. Nie wiem, czy jest ktoś, kto poznał ten kontynent równie dobrze. Nie spotkałem ich osobiście, ale mają oni reputację wyśmienitych zwiadowców i myśliwych. Towarzyszem Barlowa jest niedźwiedź, a Montego szop. Być może natrafili podczas swoich wędrówek na ślad Araxa. W każdym razie taką mamy nadzieję.

– Skąd wiadomo, że ich tutaj znajdziemy? – zapytał Rollan.

– Nie wiadomo – przyznał Tarik. – Nasza organizacja stara się zbierać wieści o swoich członkach, zarówno aktualnych, jak i byłych. Z ostatnich doniesień wynika, że Barlow i Monte założyli faktorię handlową w Mieście Głazów. Jeśli tu ich nie znajdziemy, może uda nam się chociaż wpaść na ich ślad.

Wszyscy zjechali w dół zbocza, potem przez wyrwę w murku z kamieni i dalej, do miasta. Rollan zauważył chłodne spojrzenia rzucane im przez ludzi na ulicach. Skupiały się one głównie na zielonych płaszczach pozostałych członków drużyny. Większość mieszkańców osady wyglądała na nawykłych do trudów. Mieli oni ogorzałe twarze z szorstkim zarostem, nosili wytarte odzienie.

Tarik zatrzymał konia przed najwyższym budynkiem w miasteczku. Była to niegdyś w całości biała, a obecnie odrapana dwupiętrowa budowla kryta dachówką, okolona drewnianym chodnikiem. Pokaźnych rozmiarów szyld informował, że mieści się tu faktoria handlowa.

Błysnęło światło i wydra Tarika stała się rysunkiem na jego ramieniu.

– Odpraw swoją sokolicę – nakazał Rollanowi Tarik. – Conorze, zostaw Briggana na zewnątrz.

– Essix, leć... – zaczął Rollan, ale sokolica zerwała się do lotu, zanim zdążył dokończyć.

– Możesz popilnować koni, Briggan? – zapytał Conor. Wilk obwąchał wierzchowca Conora, po czym przysiadł nieopodal.

– Spodziewamy się kłopotów? – zastanawiał się głośno Rollan, dotykając rękojeści noża, który miał u pasa. Wychował się na ulicy i zawsze nosił przy sobie jakiś nóż. Na wyprawę dostał od Zielonych Płaszczy najlepszą broń z możliwych – prawdziwy sztylet, dobrze wykonany, naprawdę ostry i niemal dorównujący rozmiarami krótkiemu mieczowi. W bucie zaś trzymał drugi, znacznie mniejszy nożyk.

– Niewykluczone – powiedział Tarik. – Czasem się zdarza, że byli członkowie Zielonych Płaszczy chowają do nas urazę.

– Ciekawe – mruknął Rollan.

– Może powinniśmy zdjąć płaszcze? – zapytał Conor.

– Nigdy nie zdejmujemy ich ze wstydu albo po to, żeby się wkupić w czyjeś łaski – odparł Tarik. – Stanowiłoby to zły precedens. Zawsze musimy pamiętać, kim jesteśmy i co reprezentujemy.

„Ale co wy tak naprawdę reprezentujecie?" – zastanawiał się Rollan. Obserwował mężczyzn o gburowatych twarzach i przymrużonych oczach, którzy obchodzili ich drużynę szerokim łukiem. Pewien starszy mężczyzna, prowadzący objuczonego muła, zatrzymał się, opierając na biodrze zaciśniętą pięść. W oknach wzdłuż ulicy ukazały się twarze mieszkańców.

– Wszyscy się na nas gapią – wymamrotał Conor.

– Niech więc mają na co patrzeć – powiedział Tarik i poprowadził drużynę do budynku.

Rollan zauważył, że tylko Conor zostawił swój topór przy siodle. Tarik nosił miecz w pochwie na plecach, a Meilin miała swój kij.

Kiedy weszli do faktorii, wszelki ruch w środku natychmiast zamarł i zaległa cisza. Ludzie jedzący posiłek przy barze przerwali w pół kęsa, a transakcje urwały się jak ucięte nożem.

Tarik podszedł prosto do sklepowego kontuaru. Kilku rosłych mężczyzn zeszło mu z drogi, mierząc go spojrzeniami wyrażającymi podejrzliwość oraz nieskrywaną wrogość. Zza blatu przypatrywał się przybyszom łysiejący mężczyzna o złośliwym wyrazie twarzy.

– Zielone Płaszcze? – zapytał niechętnie, z nieprzyjemnym uśmieszkiem na ustach. – Oficjalnie czy tylko po drodze?

– Przyjechałem tu, aby zapytać o losy kolegów, Barlowa i Montego – odparł Tarik.

Mężczyzna za kontuarem przez chwilę wydawał się zaskoczony, po czym pokiwał głową.

– Minęło sporo czasu, odkąd obaj nosili zielone płaszcze. Nie mogę powiedzieć, żebym ich ostatnio często widywał.

– Doprawdy? – zapytał Tarik. – Ta faktoria nadal do nich należy?

– A należy. W całym miasteczku nie ma lepszego sklepu, dzięki temu właściciele nie muszą codziennie doglądać interesu.

Rollan usłyszał za sobą jakieś zamieszanie i się odwrócił – w samą porę, żeby ujrzeć, jak Essix szybuje wprost ku niemu przez otwarte drzwi. Sokolica wylądowała na jego ramieniu. Rollan pogłaskał ją z wymuszonym uśmiechem, udając, że jej przybycie było zaplanowane. Essix jak zwykle postanowiła pokazać, że wolno jej latać, gdzie i kiedy zechce, bez względu na instrukcje.

Tarik i łysawy zza kontuaru przyglądali się Rollanowi, który machnął ręką i powiedział:

– Nie przeszkadzajcie sobie.

Tarik znów zwrócił się do sprzedawcy:

– Jak długo musiałbym na nich czekać?

Mężczyzna złożył ręce na kontuarze.

– Mają posiadłości w różnych okolicach. Nie opowiadają mi się ze swoich planów, a ja ich o to nie pytam. Potrafią znikać na kilka miesięcy, zależnie od pory roku.

– On kłamie – wypalił Rollan, natychmiast żałując, że się odezwał.

Kłamstwo było oczywiste. Chłopak, mając Essix na ramieniu, dysponował jej wyostrzonymi zmysłami i był niezwykle wyczulony. Dostrzegał, jak sprzedawca w niewłaściwych chwilach oblizuje nerwowo wargi i jak rozgląda się na boki.

– Też tak myślę – powiedział spokojnie Tarik.

– C-co to znaczy? – zająknął się łysawy.

Rollan usłyszał, jak stojący za nim mężczyźni się poruszyli, żeby zmienić pozycje.

– W co ten chłopak sobie pogrywa? – mruknął do sąsiada jeden z nich, wyjątkowo duży. – Ten z białozorem na ramieniu.

Tarik, nie zważając na te uwagi, powiedział do sprzedawcy:

– Twoi szefowie nie mają żadnych kłopotów.

Komentarze miejscowych dodały łysawemu odwagi.

– Dzięki za słowa otuchy, panie nieznajomy. Słuchaj, nie wiem, skąd jesteś, ale my tu nie przepadamy za Zielonymi Płaszczami mieszającymi się w nasze sprawy.

Wokół rozległy się słowa potwierdzenia:

– Żadnego szacunku dla prywatności...

– Kolejkę zajmują...

– Idźcie pić swój Nektar!

Tarik odstąpił od kontuaru. Kiedy się odezwał, mówił na tyle głośno, żeby wszyscy go usłyszeli.

– Przybyłem tu na rozkaz z Wieży Zachodu. Jeśli któryś z was chce mi wejść w drogę, zapraszam na środek.

Uwagi Rollana nie umknął fakt, że Tarik nie sięgnął po miecz i nie wykonywał żadnych groźnych ruchów. Był jednak rosłym mężczyzną o poważnym wyrazie twarzy, a w jego głosie nie było ani odrobiny humoru.

Miejscowi, którzy przed chwilą wyrażali niezadowolenie, spuścili wzrok.

Tarik na wpół odwrócił się z powrotem do kontuaru.

– Próbowałem być dyskretny, ale widzę, że nie takie panują tu zwyczaje. Koniecznie muszę się zobaczyć z Montem i Barlowem. W oficjalnej sprawie. Moje rozkazy pochodzą z samej góry. Nie pomożesz im, stając nam na zawadzie. Jeśli będzie trzeba, wrócimy tu większą grupą. Lepiej by było, gdybyśmy sami skończyli tę zabawę.

Jego wyjaśnienia spotkały się z ponownym wybuchem mrukliwych komentarzy. Natomiast mężczyzna za kontuarem nagle się schylił i zniknął z pola widzenia, jakby po coś sięgał.

Rollan usłyszał ciche kroki.

– On ucieka! – zawołał.

Tarik zajrzał za szeroki blat. Sprzedawca ukazał się niespodziewanie na końcu kontuaru, przeskoczył go zwinnie i szarpnięciem otworzył okno.

Rollan ruszył za nim w pościg. Tarik chciał zrobić to samo, ale drogę zastąpiło mu kilku co roślejszych miejscowych. Wtem błysnęło i pojawiła się wydra, a Tarik zaczął rozdawać ciosy.

Essix wyfrunęła przez okno. Rollan był tuż za nią. Zdążył zobaczyć, jak sprzedawca chowa się za rogiem faktorii. Zeskoczył na ziemię w pędzie, ale nim obiegł budynek, sprzedawca stał już na beczce, a potem podskoczył, żeby dosięgnąć barierki balkonu na piętrze. Zanim jednak zdołał się podciągnąć, spadła na niego Essix. Ugodziła go szponami i rozdrapała mu ramię. Mężczyzna spadł na ziemię.

Rollan nadal biegł. Łysawy rzucił się za róg, ale zatrzymał się nagle na widok Briggana, nadbiegającego z naprzeciwka. Podniósł ręce do góry i zawołał:

– Dobra, koniec pościgu! Zostawcie mnie w spokoju!

Zanim Rollan zdążył dopaść sprzedawcy, zza węgła budynku wyszedł Conor.

– Po coś uciekał? – spytał sprzedawcę oskarżycielskim tonem.

Briggan podszedł na tyle blisko, żeby móc obwąchać mężczyznę. Ten się wzdrygnął.

– Miałem w życiu do czynienia z niejednym członkiem Zielonych Płaszczy – powiedział. – Słuchaj, nie przepadam za wilkami, zwłaszcza kiedy próbują mnie zjeść. Możesz go zabrać?

Briggan wprawdzie nie warczał, ale stał naprzeciwko sprzedawcy i jeżył sierść.

– Nie tak szybko. – Rollan nie ustępował. – Kim jesteś?

Mężczyzna westchnął z rezygnacją.

– Chyba zapomniałem się przedstawić. Nazywam się Monte.

13

BARLOW I MONTE

Conor szedł z tyłu, gdy Monte prowadził drużynę przez zaplecze i po schodach na górę. Pomyśleć, że jeden z poszukiwanych mężczyzn okazał się łysawym sprzedawcą! Całkiem nieźle blefował i prawie udało mu się wyprowadzić Tarika w pole.

Meilin i Tarik dołączyli do nich za budynkiem faktorii. Tarik krwawił z niewielkiej rany obok ust i miał podbite oko, które zaczynało puchnąć. Gdy Conor spytał, co się wydarzyło, Meilin uspokoiła go słowami, że Tarik zadał znacznie więcej ciosów, niż sam dostał.

Monte obiecał pod naciskiem zaprowadzić ich do Barlowa tylnym wejściem. Ostrzegł, że jego wspólnik może się nie ucieszyć na ich widok. Tarik jednak go zapewnił, że rozmowa jest konieczna.

Monte niechętnie prowadził grupę korytarzem na piętrze faktorii. Nagle kątem oka Conor złowił za sobą, nisko przy podłodze, jakiś ruch. Gdy tylko minęli narożnik, zatrzymał się i pozwolił pozostałym się oddalić. Chwilę później zza rogu wysunął się na moment kudłaty pyszczek z charakterystycznym ciemnym wzorem wokół oczu, po czym zaraz się cofnął.

– Wyłaź – powiedział Conor.

Kiedy szop nie usłuchał, chłopak zajrzał za róg, ale nigdzie nie zauważył zwierzątka – było naprawdę szybkie.

Conor dołączył do reszty w chwili, kiedy Monte pukał do masywnych drzwi na tyłach budynku. Otworzył je krzepki mężczyzna o potężnych barach i gęstej brodzie i wąsach, które sięgały mu niemal oczu. Był prawie o pół głowy wyższy od Tarika. Conor pomyślał, że chyba nigdy dotąd nie widział człowieka, który tak bardzo przypominałby niedźwiedzia.

Olbrzym obrzucił Montego gniewnym spojrzeniem.

– Zielone Płaszcze? Na moim progu?

– Cóż, oni... nalegali... – wyjaśnił Monte.

– To mnie nie dziwi – powiedział Barlow, przyglądając się bacznie gościom. W końcu zatrzymał wzrok na Conorze. – Widzę, że mamy tu prawdziwych weteranów z co najmniej... tygodniowym doświadczeniem.

Conor się wyprostował, żeby wyglądać na starszego niż w rzeczywistości.

Monte chrząknął nerwowo.

– Chcą z nami pogadać.

Brodaty olbrzym popatrzył się prosto w oczy Tarika.

– Szukacie guza? Ludzie nie są waszą własnością. Nie zrobiliśmy nic złego.

– Szukamy Araxa – odparł Tarik.

Barlow wybuchnął śmiechem, na którego dźwięk Conor aż podskoczył.

– Araxa?! – wykrzyknął Monte. – Czy to jakiś kawał? Kto was do tego namówił?

Głośny śmiech Barlowa umilkł, ale jego potężne ramiona nadal się trzęsły, gdy wycierał łzę z kącika oka.

– To nie żaden kawał – powiedział Tarik. – Pożeracz wrócił i poszukuje talizmanów. Musimy dotrzeć do Araxa przed nim.

Barlow się wyprostował i wziął głęboki oddech.

– Pożeracz? O czym ty mówisz?

– Pożeracz wrócił – powtórzył Tarik. – Tak jak obiecał. Albo to ktoś bardzo do niego podobny. Zhong zostało zaatakowane, Mur sforsowano. W południowym Nilo również trwa wojna.

– Nieźle! Brakuje nam tu tylko publiczności – zadrwił Monte. – Bywają kłamstwa, których nie sposób przełknąć. Zwłaszcza z pełnym żołądkiem.

– Na własne oczy widziałam atak na Zhong – odezwała się Meilin. – Na Jano Rion uderzyła ogromna armia. Mój ojciec został w mieście, żeby kierować obroną.

Barlow spojrzał na nią i się skrzywił.

– Opuściłaś ojca w takiej chwili? Czekaj, niech zgadnę. Zielone Płaszcze?

Meilin skinęła głową w odpowiedzi.

– Kiedy się w końcu nauczycie, że dzieci należy zostawić w spokoju? – zapytał Barlow. – Kto postanowił przebrać je za dorosłych i dać im broń? Kto jeszcze ciągnie tę tradycję?

– To dla niego bolesny temat – powiedział Monte z drwiącym uśmieszkiem. – Nie próbujcie z nim dyskutować, bo to się nie skończy dobrze. Posłuchajcie, przykro nam, że za morzami toczy się wojna, ale nie mamy pojęcia, gdzie szukać którejkolwiek z Wielkich Bestii, w tym i Araxa. Może więc zakończymy już tę rozmowę?

– Nieźle gracie – powiedział Rollan. – Ty, Barlow, niepotrzebnie wybuchnąłeś śmiechem. A ty, Monte, zbyt długo się rozwodziłeś.

Barlow przyjrzał się chłopakowi badawczo.

– Co to za białozór?

– Zgadnij.

Meilin przywołała swoją pandę w błysku światła, zaś Essix, siedząca na ramieniu Rollana, zaskrzeczała.

– Popisujemy się, co? – zapytał Barlow, zaciskając pięści. – Mój niedźwiedź jest większy od twojego – rzucił do dziewczyny.

– Ona nie ma zamiaru cię zastraszyć – wyjaśnił spokojnie Tarik. – Pomyśl przez chwilę.

– To jest panda – powiedział Monte, już bez cienia uśmiechu. – Panda o srebrnych oczach. – Czujnie zerknął na Essix, potem na swojego wspólnika.

– Zrozumiałem dowcip – mruknął Barlow. – Choć jest w złym guście. O co wam chodzi? I kim jesteście?

– Briggan został na zewnątrz – oznajmił Conor, świadom, że ich zwierzoduchy zrobiły na dwóch odkrywcach spore wrażenie. – Dzięki niemu miałem wizję. Widziałem, jak niedźwiedź oraz szop prowadzą nas do Araxa. Olvan i Lenori uznali, że musi chodzić o was dwóch.

– Oni spotkali Araxa – wtrącił Rollan. – Jestem tego pewien.

Barlow nadal marszczył czoło, ale wydawał się nastawiony mniej wrogo.

– Pokaż tego wilka.

– Chyba nie bierzesz ich... – zaczął Monte, ale Barlow przerwał mu uniesieniem ręki.

– Zobaczmy Briggana.

Po powrocie Conora olbrzym niespiesznie obejrzał Briggana, Jhi i Essix. Monte zrobił to samo.

– Jeśli to jakaś sztuczka – mruknął w końcu Barlow – to świetnie przygotowana. – Z niechętnym podziwem przeczesał rękami futro wilka.

– Na pewno nie schowaliście gdzieś także Urazy? – zapytał Tarika Monte.

– Przecież widziałeś mój znak – odparł Tarik. – Moim zwierzoduchem jest wydra. Nie udało nam się znaleźć dziewczyny, która przywołała lamparcicę. Nasz wróg dotarł do niej pierwszy.

Conor patrzył, jak szop Montego ostrożnie się zbliżył do Briggana, po czym się cofnął, kiedy wilk chciał go powąchać.

Barlow przysiadł na piętach.

– Mamy uwierzyć, że zaczęła się wielka draka?

Tarik skinął głową.

– Poległe Bestie powróciły. Pożeracz również. I już zaczął działać. Wszystko, czego się obawialiśmy od stuleci, właśnie się zaczęło.

Monte zadrżał.

– Miałem nadzieję, że zanim ten dzień nadejdzie, mnie już dawno nie będzie na świecie. Chyba wątpiłem, że kiedykolwiek się to stanie, ale trudno z tym dyskutować, patrząc na troje z Czworga Poległych.

– Musimy działać szybko – powiedział Tarik. – Potrzebujemy talizmanów. Nasz wróg ma ten sam cel.

Barlow parsknął.

– To nie jest po prostu wyścig z nieprzyjacielem. Wydaje ci się, że Arax ot tak odda wam Granitowego Barana? Nie zrobił tego podczas ostatniej wojny. Sądzisz może, że uda wam się mu go odebrać? Jeśli tak, to nic o nim nie wiesz i wcale nie znasz tych gór.

– Ale wy tak – powiedział Rollan.

– Dobra, zrozumieliśmy – warknął Monte. – Masz dar, przejrzałeś nas. Nie na darmo nazywano Essix Widzącą.

Conor nigdy wcześniej nie słyszał tego przydomku. Złowił wzrok Rollana.

– Widząca? – zapytał go bezgłośnie.

Rollan wzruszył ramionami. Był nie tylko zdumiony, lecz także zirytowany. Conor dobrze go rozumiał. Sam się zastanawiał, jakie jeszcze informacje na temat zwierzoduchów zataili przed ich trójką członkowie Zielonych

Płaszczy. Z jakiej przyczyny nie przekazali im wszystkiego, co sami wiedzieli?

– Naprawdę zobaczyliście Araxa? – zapytał Tarik.

Barlow wypuścił powoli powietrze.

– W swoim czasie przemierzyliśmy większą część zachodniej Amayi. Widzieliśmy tam cuda, w które trudno uwierzyć, ale i straszne rzeczy. Pewnego dnia gdzieś wysoko w górach Scrubber pokazał nam bardzo dziwny trop.

– Scrubber? – zapytał Conor.

– Mój szop – wyjaśnił Monte.

– Trop przypominał ślady owcy gruborogiej – ciągnął Barlow. – Tylko rozmiar się nie zgadzał. Racice były zbyt duże. – Dłonią zakreślił koło wielkości talerza. – Przez jakiś czas podążaliśmy za tymi śladami, bo choć wydawało się to szalone, wyglądały na autentyczne. Byliśmy w górach całkiem sami. Myśleliśmy, że jeśli ktoś próbuje nas nabrać, nieźle mu to wychodzi. Wiedzieliśmy, że drugiej szansy już nie dostaniemy, tropiliśmy więc dalej.

– Arax był po prostu wspaniały – wtrącił Monte. – Nic z tego, co widzieliśmy w niezbadanej dziczy, nie mogło się równać z jego widokiem.

– Z ust mi to wyjąłeś – zgodził się Barlow.

– Podeszliście blisko? – zapytał Tarik.

Barlow zaśmiał się cicho.

– Wystarczająco się baliśmy, obserwując go na odległość. On wiedział, że tam jesteśmy. Przywołał wiatr, żebyśmy przypadkiem nie zapomnieli, kto tu rządzi. Kiedy się wycofaliśmy, pozwolił nam odejść.

– Przywołał wiatr? – zapytała Meilin.

– Arax potrafi wpływać na pogodę w górach – wyjaśnił Monte. – Zwłaszcza na wiatr.

– Naprawdę widzieliście jedną z Wielkich Bestii? – zapytał Conor. Z wrażenia rumieńce wystąpiły mu na twarz.

Briggan trącił go w nogę i Conor zaraz go pogłaskał.

– Chodziło mi o pełnowymiarową Bestię – wyjaśnił.

Briggan znów go trącił. Conor wiedział, że ponownie popełnił błąd, ale miał nadzieję, że nie będzie musiał później za niego zapłacić.

Monte zerknął na Briggana, potem znów na drużynę.

– Podróżujecie z żywymi legendami, dzieciaki.

Barlow przyglądał się Tarikowi.

– Te góry to nie miejsce dla dzieci, a ich szczyty nie są przyjazne nawet dla wprawnych wspinaczy. Poczekajcie kilka lat. Pozwól dzieciakom podrosnąć, nabyć nieco doświadczenia – zwrócił się do Tarika. – Wraz ze swoimi zwierzoduchami będą niemal niepokonane.

Wbrew samemu sobie Conor poczuł się podbudowany pochwałą Barlowa. Stłumił uśmiech dumy.

– Mądra rada – powiedział Tarik. – Ale nie możemy czekać, musimy zaryzykować. A z parą doświadczonych przewodników mielibyśmy większe szanse.

Barlow mruknął coś pod nosem i się skrzywił.

– Szanuję waszą misję, ale moim zdaniem wy, Zielone Płaszcze, zawsze zbyt chętnie wykorzystywaliście najmłodszych. Namawia się nas do przyłączenia się do organizacji, zanim jeszcze w pełni zrozumiemy, kim sami naprawdę jesteśmy. Kiedy miałem jedenaście lat, czułem się gotowy. Ja przeżyłem, ale widziałem mnóstwo dzieciaków, którym się to nie udało. Zielone Płaszcze poświęcają zbyt wielu. I zbyt lekko.

– Sytuacja jest wyjątkowa – powiedział Tarik. – Bez pomocy Wielkich Bestii nie zdołamy odnaleźć talizmanów, a jeśli zrobi to Pożeracz, będzie to oznaczało koniec takiej Erdas, jaką znamy.

– Tak, ale... – Barlow westchnął i skupił uwagę na Conorze, Meilin i Rollanie. – Wy, młodzi, nawet nie rozumiecie, na co się porywacie. Ta misja przekracza możliwości moje i Montego. Domyślam się, że Tarik niejedno widział i niejednego w życiu dokonał, ale to zadanie jest również ponad jego siły. Rozmawiamy przecież o jednej z piętnastu Wielkich Bestii, starszej niż sama historia. Arax mógłby ot, dla kaprysu, zniszczyć całe to miasteczko. On czuje się równie pewnie na skraju urwiska, co wy we własnych łóżkach. Jest inteligentniejszy i bardziej doświadczony, niż potraficie to sobie wyobrazić.

Briggan stanął przed Barlowem z wysoko uniesioną głową i postawionymi uszami.

Conor poczuł przypływ pewności siebie i również zrobił krok naprzód.

– Zapominasz, kogo mamy po swojej stronie. Troje na jednego.

Essix rozłożyła skrzydła i zamachała nimi dwukrotnie.

– Macie pewne atuty – przyznał Barlow. – Ale nie są one już tym, co kiedyś. Potrzebujecie nieco czasu, żeby dorosnąć, dzieciaki, wy i wasze zwierzoduchy również. Żeby to zrozumieć, musielibyście zobaczyć Araxa na własne oczy.

– Wybierzemy się na jego poszukiwania z wami lub bez was – oświadczył Tarik. – Z wami mielibyśmy większe szanse, ale i tak spróbujemy. Conor zobaczył was w swojej wizji nie bez powodu.

Essix przefrunęła na ramię Barlowa. Jhi z zaskakującą gracją stanęła na tylnych łapach. Briggan zbliżył się, złapał zębami i pociągnął nogawkę spodni Barlowa.

Brodaty olbrzym westchnął, opuścił ramiona. Kiedy się odezwał, mówił powoli, nie odrywając wzroku od zwierzoduchów.

– Zawsze wiedziałem, że ten zielony płaszcz kiedyś mi się przypomni. Spędziłem wiele lat w miejscach, w których dotąd nie postała ludzka stopa, ale gdzieś w głębi, w kościach, czułem, że płaszcz mnie odnajdzie.

Monte spojrzał na przyjaciela.

– Jesteś pewien?

– Obawiam się, że tak – odparł Barlow. – Musimy wygrzebać sprzęt ze składziku.

14

KRUKI

Meilin, dorastając, poznała większą część Zhong. Odwiedziła Mur na północy, południu, wschodzie i zachodzie kraju, a także w innych niezliczonych miejscach. Mur miał tysiące mil długości, obejmował wielkie połacie ziemi. Meilin nigdy jednak nie była poza nim. I nigdy dotąd nie widziała prawdziwej dziczy.

W ciągu tygodni, które upłynęły na podróży wraz z Montem i Barlowem, krajobraz robił na dziewczynie coraz większe wrażenie. Preria przeszła stopniowo we wzgórza i wysokie granie, a potem – w potężne góry. Ostre kamienne turnie godziły w niebo, a pośród nich ziały rozpadliny zalewane przez wodospady. Niziny zaś były porośnięte gęstymi lasami. Na powierzchni odległych jezior, leżących u stóp gór o ośnieżonych szczytach, odbijały się refleksy światła.

Wewnątrz Muru potęga Zhong polegała głównie na narzuconym naturze porządku. Meilin podziwiała tam wspaniałe osiągnięcia architektury: świątynie, muzea, pałace i miasta. Oglądała kunsztowne parki i ogrody. Zdobyła wiedzę, w jaki sposób budować kanały do nawadniania pól lub jak zatrzymywać wodę w zbiornikach rezerwowych, odgrodzonych przez pomysłowe tamy. Podróżowała szerokimi drogami i wspaniałymi mostami.

Tu jednak wrażenie majestatu wynikało z czegoś innego. W tej krainie wszystko było niezdobyte i nieujarzmione, a jej piękno wykraczało poza to, co Meilin widziała w całym Zhong. Jaki budynek mógłby się równać z tymi górami? Jaki sztuczny kanał mógłby się mierzyć z dzikimi rzekami i kaskadami?

Meilin nie wyrażała swojego zachwytu głośno. Po pierwsze z żadnym towarzyszem wyprawy nie nawiązała bliższej relacji – wolała trzymać się na dystans. Po drugie wydawało jej się, że każda pochwała majestatu dzikiej przyrody w jakiś sposób umniejszałaby ją samą oraz jej ojczyznę.

Chociaż podróżujący mieli możliwość podziwiania niezwykłych, różnorodnych krajobrazów, ich wyprawa była długa i samotna. Meilin brakowało wielu wygód, do których przywykła, poza tym tęskniła za obecnością rodziny i służących. Nie chciała poznawać swoich towarzyszy za pośrednictwem rozmowy, polegała więc na obserwacji. Z całej grupy to Tarik budził największy podziw Meilin. Wypowiadał się krótko i na temat i nosił się z wynikającą z umiejętności pewnością siebie, która przypominała dziewczynie najlepszych żołnierzy ojca.

Monte mówił dziesięć razy więcej, niż było trzeba. Był skarbnicą żartów, opowieści i czczych bajań. Rozmawiał z każdym, kto tylko chciał go słuchać. Barlow chyba nie miał nic przeciwko temu, ponieważ starał się zawsze jechać w pobliżu przyjaciela i śmiał się cicho z jego ciągłej paplaniny.

Conor spędzał wiele czasu z Brigganem. Nie obawiał się, że urazi swojego zwierzoducha niewyszukanymi zabawami ani że ktoś uzna go za śmiesznego. Bawił się z wilkiem w aportowanie albo w berka, a nawet kąpał się z nim w strumieniach. Rozmawiał z nim często i go głaskał. Meilin musiała przyznać, że w rezultacie ich relacje się pogłębiły.

Więź między Rollanem i jego sokolicą nadal była dość słaba – Essix spędzała większość czasu w locie.

Meilin starała się porozumiewać z Jhi. Dzień po tym, jak panda uratowała ją na dachu wieży, dziewczyna była jej bardzo wdzięczna. Wkrótce jednak ich stosunki powróciły na dawne tory. Jhi była zawsze potulna, ale wolała niespiesznie bawić się sama. Kiedy Meilin próbowała ją czymś zająć, panda wykazywała niewielkie zainteresowanie. Słuchała, gdy Meilin coś mówiła, ale prawie nie reagowała na jej słowa. W podróży Jhi wyraźnie wolała pozostawać w uśpieniu, dlatego Meilin wiozła ją jako tatuaż na dłoni.

Na szlaku dotąd tylko raz zdarzyło się jej lunatykować. Meilin obudziła się sama w mrocznym lesie. Zanim na dobre ogarnęła ją panika, pojawiła się Jhi i zaprowadziła ją z powrotem do obozowiska. Wracały tam prawie dwadzieścia minut.

To było kilka dni temu. Choć Monte twierdził, że są coraz bliżej znalezienia Araxa, nadal nie natrafili na żaden dowód jego obecności.

Tego ranka przekroczyli rozległą dolinę i pięli się po zboczu góry, porośniętym lasem i ubogim poszyciem. Barlow i Monte jechali przodem, Meilin za nimi, wyprzedzając chłopców. Tarik zamykał szyk.

Monte rozmawiał jak zwykle z Barlowem.

– Pamiętasz ten las na północnych zboczach Szarych Gór? Tam było podobnie: pomiędzy drzewami było tyle miejsca, że niemal dało się jechać galopem. I znaleźliśmy wtedy ten opuszczony fort.

– Prawie opuszczony – uściślił Barlow.

Monte dźgnął palcem w jego kierunku.

– Właśnie! Ten człowiek mieszkał tam całkiem sam. Ile on miał tych świń? Chyba setkę! Jadał bekon na śniadanie, golonkę na obiad i szynkę na kolację. I za nic nie chciał nam żadnej sprzedać! Zachował się wtedy jak zwyczajna świnia! Ciekawe, czy nadal…

Essix zaskrzeczała ostrzegawczo w tej samej chwili, kiedy Barlow wstrzymał swojego konia i podniósł rękę. Monte wyprostował się w siodle i rozejrzał.

– Nie szukamy kłopotów! – krzyknął głośno Barlow. – Jesteśmy tu przejazdem w drodze w wysokie góry.

Wszędzie wokół nich, jak daleko Meilin sięgała wzrokiem, spomiędzy pni drzew poczęli się wyłaniać ludzie.

W jednej chwili nie było widać nikogo, a w następnej pojawiły się ich dziesiątki. Byli uzbrojeni we włócznie i łuki. Poruszali się jak myśliwi ostrożnie podchodzący niebezpieczną zwierzynę. Wszyscy nosili skórzane przepaski biodrowe i peleryny z czarnych piór. Niektórzy pomalowali twarze w czarno-białe wzory. Kilku miało też drewniane maski.

Serce Meilin zabiło mocniej, ścisnęła wodze. W jaki sposób tak wielu wojownikom udało się niepostrzeżenie ich otoczyć? Dziewczyna starała się mimo to zachować spokój i pamiętać, że bitwy wygrywa się umysłem.

Amayanie mieli ogromną przewagę liczebną. Meilin szacowała, że było ich co najmniej siedemdziesięciu. Nadchodzili ze wszystkich stron, a wielu następnych mogło się kryć wśród drzew. Koni nie mieli, ale liczni trzymali strzały na cięciwach. Nawet gdyby członkowie drużyny spróbowali uciec konno, nie uszliby bez szwanku.

Trzej Amayanie wysunęli się przed współplemieńców i zbliżyli do Barlowa. Środkowy z nich dotknął piersi zaciśniętą pięścią.

– Jestem Derawat.

Barlow powtórzył jego gest.

– Barlow.

– Te ziemie są pod ochroną Kruków. To nie miejsce dla was.

– Nie szukamy tu miejsca dla siebie – odparł Barlow. – Nie zamierzamy tu zostać ani niczego zabrać. Wędrujemy w wysokie góry.

– Zobaczyliśmy was z daleka.

Barlow skinął głową.

– Nie ukrywaliśmy się. Nie mamy złych zamiarów.

– Poddacie się nam, a my was osądzimy – powiedział Derawat.

W ułamku sekundy obok Barlowa zjawił się jakby spod ziemi ogromny niedźwiedź grizzly, kudłaty olbrzym o garbatym grzbiecie. Amayanie cofnęli się o kilka kroków, a niedźwiedź wyprostował się na pełną, imponującą wysokość. Meilin poczuła ukłucie zazdrości na myśl o tym, jak w porównaniu do potężnego niedźwiedzia prezentuje się Jhi.

– Nie poddamy się – oznajmił srogim tonem Barlow. – Jesteśmy wolnymi ludźmi, podróżnikami. Nie zrobiliśmy wam krzywdy. Jeśli się upieracie, żeby sprawiać nam kłopoty, żądamy próby walki.

Trzej przywódcy Kruków naradzili się cicho. W końcu Derawat przedstawił ich decyzję:

– Wy wybierzecie swojego wojownika, a my swojego. Staniecie do walki na naszych zasadach. Jeśli wygracie, możecie odjechać. Jeśli przegracie, należycie do nas.

– Zgoda – powiedział Barlow i jego niedźwiedź zniknął w błysku światła.

Grupa Kruków oddzieliła się i utworzyła eskortę. Tarik podjechał do przodu, żeby porozumieć się z Barlowem.

– Jakie są warunki? – zapytał.

– Jeśli przegramy, będziemy należeli do nich. Będą mogli wziąć nas w niewolę lub zabić.

Przez chwilę wszyscy rozważali w ciszy jego słowa.

– A zasady walki? – spytał wreszcie Tarik.

– To zależy od plemienia – odparł Barlow, obserwując wojowników. – Niektórzy wolą pojedynki między ludźmi, inni między zwierzoduchami. Pewne plemiona walczą do śmierci, inne tylko do poddania się. Nigdy wcześniej nie miałem do czynienia z Krukami.

– Pech – mruknął Monte. – Liczne amayańskie plemiona są pokojowo nastawione, wręcz wielkoduszne. Zaplanowaliśmy drogę tak, żeby ominąć terytoria najbardziej niebezpiecznych ludów i tylko zawadzić o ziemie Kruków. Musieli nas zauważyć, kiedy przekraczaliśmy dolinę.

– Ktoś ma coś przeciw temu, żebym to ja walczył? – zapytał Tarik.

– Lepiej poczekać z wyborem wojownika – doradził Barlow. – Amayanie narzucają czasem dziwne ograniczenia lub używają nietypowej broni. W pojedynkach na siłę sam jestem niezły, a w uczciwej bójce między zwierzętami Jools nie da się łatwo pokonać.

– Dobrze więc – zgodził się Tarik. – Zaczekamy.

Amayanie eskortowali drużynę do osady położonej w nieodległej dolinie. Ich domy zbudowane były ze skór rozpiętych na drewnianych ramach. Meilin zauważyła liczne doły na ogniska, ale żadnego ognia ani dymu.

Członkowie plemienia zaprowadzili jeźdźców na sam środek wsi. Derawat wskazał okrągłą połać ziemi. Podszedł do kadzi, stojącej tuż poza obrębem pola, i zanurzył kostki palców w czarnej mazi.

– Do kręgu wchodzi dwóch wojowników. Zwierzoduchy śpią. Pierwszy, który zada dziesięć uderzeń, wygrywa. Dziesięć uderzeń, mocnych lub słabych, potem koniec walki. Ja będę walczył za Kruki. Wyznaczcie swojego wojownika.

Meilin przypatrywała się szeroko otwartymi oczami, jak Barlow, Monte i Tarik nachylają się i naradzają. Czy powinna coś zrobić? Derawat wyglądał na szybkiego i zręcznego, był wręcz stworzony do opisanego przez siebie rodzaju walki.

– Tutaj liczy się szybkość i precyzja – powiedział Barlow. – To nie są moje mocne strony.

– Założę się, że dam mu radę – rzucił Monte.

– Lepiej ja – zgłosił się Tarik. – Mam doświadczenie w walce wręcz, często z użyciem ostrej broni, dlatego potrafię unikać ciosów. Jestem szybki i mam duży zasięg ramion. Poradzę sobie nawet bez pomocy Lumeo.

– Zgadzam się – rzucił Barlow.

– Ja stawię mu czoła – oznajmiła wtedy Meilin.

Trzej mężczyźni wydawali się tak zaskoczeni, że dziewczyna prawie się na nich obraziła. Ale przecież żaden z nich nie miał okazji zobaczyć, co umiała.

– On jest dużo wyższy od ciebie – zaczął Tarik, siląc się na uprzejmość.

– Nie zgłosiłabym się, gdyby to nie był idealny dla mnie rodzaj walki – odparowała Meilin. – Od maleńkości uczyłam się sztuk walki Zhong. To moja specjalność. Jeśli do pojedynku stanie któryś z was, jego wynik będzie znacznie mniej pewny.

Jej towarzysze patrzyli po sobie bez przekonania. Tarik skrzyżował ręce na piersi i przymrużył oczy.

– Wasza odpowiedź? – zapytał Derawat.

– Jedną chwilę – odparł Barlow i zwrócił się do pozostałych: – Nie ma mowy. Jest za młoda.

– Zrobię to zamiast Meilin! – wtrącił się Rollan. – Ja przynajmniej brałem już udział w paru bójkach.

– Meilin – powiedział łagodnie Tarik – być może masz rację, ale nie mieliśmy dotąd okazji sprawdzić twoich umiejętności.

– Mogłabym wam pokazać, co potrafię, ale wolałabym go zaskoczyć – odparła dziewczyna. – Zaufajcie mi.

Zabrzmiał ptasi krzyk i na jej ramieniu wylądowała Essix. Meilin się spięła – nigdy wcześniej nie miała z sokolicą bezpośredniego kontaktu.

– Essix głosuje na Meilin – stwierdził zdumiony Rollan.

Sokolica poderwała się do lotu. Meilin patrzyła za nią. Ledwo mogła uwierzyć, że Essix udzieliła jej poparcia. Skąd ona mogła wiedzieć o umiejętnościach dziewczyny? Meilin nawet nie przypuszczała, że sokolica przysłuchuje się ich rozmowie.

Tarik skinął głową i odparł:

– Nie zamierzam się spierać. Wywalcz nam wolność, Meilin.

– Jesteś pewien, że ptak nie głosował przeciwko? – mruknął Barlow.

– Zgadzam się z interpretacją Rollana – odparł zdecydowanym tonem Tarik.

Barlow podszedł do Derawata.

– Naszym wojownikiem jest Meilin.

Przesunął się na bok i wskazał dziewczynę gestem. Gdy Meilin się zbliżyła, Derawat aż się cofnął.

– Czy to jakiś podstęp? Chcecie uniknąć walki? Tylko najgorszy tchórz kryje się za dzieckiem!

Barlow zerknął na Tarika, a ten skinął głową.

– Meilin będzie walczyć – powtórzył Barlow. Jego głos zdradzał niepewność. – Nie próbujemy oszukiwać. Pokonaj ją, jeśli zdołasz.

– To obelga! – Oczy Derawata gniewnie zabłysły. – Twierdzicie, że najsłabsza spośród was dorówna najlepszemu wojownikowi Kruków! Nie okażę litości. Musicie uznać wynik walki tak samo, jak gdyby walczył dorosły!

– Uszanujemy wasze zasady bez względu na wynik – oświadczył Barlow. – Dziesięć trafień. Naszym wojownikiem jest Meilin.

– Zachowujecie się niehonorowo – powiedział Derawat i splunął. – Po walce wszyscy będziecie cierpieć podwójnie za tę obelgę.

Barlow się nie odezwał, ale rzucił Meilin wymowne spojrzenie.

Derawat zdjął pelerynę z piór i gniewnym gestem ponownie zanurzył pięści w czarnej mazi. Meilin poszła za jego przykładem. Substancja nie była ani ciepła, ani zimna. Okazała się za to gęsta i tłusta.

Pozostali mieszkańcy wioski Kruków zgromadzili się wokół, żeby w milczeniu obserwować pojedynek. Tłum składał się z ponad dwustu osób: młodych i starych, mężczyzn i kobiet.

Meilin miała nadzieję, że właściwie oceniła swoje szanse. Nie znała umiejętności przeciwnika, z którym przyszło jej się zmierzyć. Co będzie, jeśli się okaże, że jego ręce są zwinne jak ręce mistrza Chu? Meilin przegra wtedy w ciągu dwóch uderzeń serca!

Najwyraźniej podobne zawody w kręgu często się odbywały wśród Kruków. Derawat był odpowiednio zbudowany i pewny siebie. Dalszy zasięg ramion dawał mu przewagę, podobnie jak większa siła. Meilin wiedziała, że jeśli uda mu się zadać bezpośredni cios, ona upadnie, a przeciwnik zasypie ją gradem uderzeń.

Derawat wprowadził Meilin do wnętrza kręgu. Wpatrywał się w nią z gniewem w oczach.

– Uderzenia w ręce poniżej łokcia się nie liczą – powiedział, wskazując własne przedramiona. – Każde inne miejsce oznacza trafienie. Jeśli opuścisz krąg, przegrałaś. Drugiej szansy nie będzie. Walczymy do dziesięciu trafień. Mohayli będzie liczyć.

– Ja też będę liczył – dodał Barlow.

– Jakieś pytania? – rzucił Derawat. – Nadal możecie wyznaczyć do walki kogoś innego.

Meilin oceniła przeciwnika. Mieli walczyć bez pomocy zwierzoduchów, i tylko dlatego postanowiła zastąpić Tarika. Akrobacje i skoki, do jakich zdolny był Tarik dzięki wsparciu Lumeo, były wręcz nieprawdopodobne. Była jednak pewna, że jeśli Derawat zdoła ją pokonać bez pomocy swojego zwierzoducha, zwycięży też każdego z pozostałych członków ich drużyny. Musiała wygrać. Ze względu na misję, swój honor i własne życie.

– Nie mam pytań – powiedziała.

Derawat zacisnął wargi i się cofnął. Przybrał niską postawę bojową.

– Mohayli da nam znak.

Meilin potrząsnęła rękami i nogami, starając się rozluźnić. Co, jeśli wszyscy mistrzowie, z którymi ćwiczyła, pozwalali jej wygrywać? Miała świadomość, że często osłabiali ciosy i nie wykorzystywali wszystkich swoich umiejętności. Ale może była gorsza, niż myślała? Co, jeśli zostanie upokorzona?

Nie! Takie myśli to trucizna. Nie wolno tracić głowy przed pojedynkiem.

Mohayli uniósł rękę, po czym ją opuścił.

– Naprzód! – krzyknął.

– Dasz radę, Meilin! – zawołał Conor.

Dziewczyna doceniała jego wsparcie, jednak wolałaby, żeby jej nie rozpraszał.

Derawat poruszał się lekkim, tanecznym krokiem. Widać było, jak pod skórą pracują mu mięśnie. Meilin stanęła w pozycji zapewniającej równowagę, trwała w bezruchu, z zaciśniętymi pięściami. Wojownik Kruków zamarkował kilka ciosów, ale ona nawet nie drgnęła. Zbliżył się i bezskutecznie próbował sprowokować ją do ataku. Jednak Meilin chciała najpierw się przekonać, jak szybki jest jej przeciwnik.

Derawat stracił wreszcie cierpliwość i zadał prawdziwy cios. Meilin zrobiła unik i zeszła mu z drogi. Kruk zaatakował z większą siłą, machnął rękami kilka razy, czym zmusił dziewczynę do obrotu i zrobienia kolejnego uniku.

Był bardzo szybki. Meilin nie mogła sobie pozwolić na najmniejszy błąd. Dała się zepchnąć na skraj kręgu i ustawiła się tak, żeby dobrze wymierzony cios w przeciwnika wypchnął ją na zewnątrz.

Derawat złapał przynętę, a wtedy Meilin pokazała, co naprawdę umie. Zamiast unikać ciosów, pochyliła się i skoczyła ku niemu. Prześlizgnęła się pod jego uderzeniem i trafiła go trzykrotnie w udo: lewa, prawa, lewa. Następnie odskoczyła, zanim wojownik zdążył odpowiedzieć na atak.

– Trzy – powiedział ze zdumieniem Mohayli, podnosząc w górę trzy palce.

Meilin usłyszała zachwycony śmiech Conora i Rollana, ale starała się nie napawać tym małym sukcesem. Musiała się skupić na walce.

Derawat spojrzał na swoją nogę. Meilin uderzyła go w trzech różnych miejscach w taki sposób, żeby ślady czarnej mazi pozwalały łatwo odróżnić trafienia. Popatrzył na nią z nowo nabytym szacunkiem. Nie poruszał się już tak zręcznie – dziewczyna dobrze wiedziała, w które punkty na udzie uderzyć, żeby wywołać największy ból, i bezbłędnie w nie trafiła.

Derawat zbliżał się bardzo ostrożnie, trzymając gardę. Był gotów w każdej chwili uskoczyć w przód lub w tył.

Szkoda. Gdyby nadal był nadmiernie pewny siebie, zadanie byłoby łatwiejsze...

Zaatakował znienacka. Meilin poczuła dwa razy podmuch mijających ją pięści, po czym zablokowała trzecie uderzenie i tylko o włos nie udało jej się w odpowiedzi naznaczyć przeciwnika ciosem w żebra. Wojownik Kruków odskoczył, zastawiając się uniesionymi rękami.

Następne ataki planował rozważniej. Zadawał ciosy z wahaniem i cały czas był gotów się bronić. Meilin uświadomiła sobie, że będzie musiała zacząć atakować. Zrobiła kolejno trzy subtelne zwody. Przeciwnik złapał się na trzeci i spróbował się bronić. Wtedy wślizgnęła się za jego gardę i zadała serię silnych uderzeń: brzuch, brzuch, udo, bok, blok, brzuch, blok, kolano. Odskoczyła saltem i wycofała się do przeciwległego krańca kręgu.

– Pięć trafień dla Meilin – powiedział Mohayli.

– Sześć – poprawił go Derawat z bolesnym grymasem na twarzy.

Uderzenie w kolano było bezwzględne, a bloki dziewczyny trafiały w słabsze miejsca na jego nadgarstkach. Mężczyzna był od niej znacznie silniejszy, ale Meilin wiedziała, jak skupiać siłę ciosu i gdzie dokładnie uderzać.

Derawat spróbował rozchodzić uraz kolana, patrząc na przeciwniczkę z niedowierzaniem. Odpowiedziała mu grobowym spojrzeniem. Gdyby okazała triumf, byłby to dyshonor dla rywala. Wzbudziłaby tylko jego niechęć.

Meilin nie zwracała uwagi na gapiów stojących na zewnątrz kręgu. Trzymała się przy jego krawędzi, podczas gdy Derawat zajmował środek. Wojownik pokręcił głową i przywołał dziewczynę gestem. Meilin opuściła ręce i podeszła powoli. Mężczyzna spróbował uderzyć znienacka, ale zrobiła unik i trafiła go dwukrotnie poniżej żeber.

– Dwa – powiedział Mohayli. – Razem jedenaście trafień dla dziewczyny.

Kiedy Meilin się cofnęła, Derawat złożył jej ukłon. Uprzejmie zrewanżowała mu się tym samym.

Tarik, Barlow, Monte, Rollan i Conor zebrali się wokół Meilin, ledwo powściągając radość. Zasypali ją pochwałami pełnymi zdumienia. Za sprawą komplementów Meilin aż pojaśniała wewnętrznie. Dotąd jej umiejętności oglądali wyłącznie nauczyciele, którzy nigdy nie chwalili jej w podobny sposób. Nigdy nie sprawili, że czuła się ważna.

Tarik położył na jej ramieniu swoją wielką dłoń.

– Meilin, jesteś pełna niespodzianek. Nieprędko zwątpię w ciebie. W Essix zresztą też nie. Mamy szczęście, że z nami jesteś.

15

ARAX

Minął zaledwie dzień od opuszczenia osady Kruków, gdy Scrubber znalazł pierwsze nienaturalnie duże ślady racic. Teren wokół był kompletnie dziki, nie przebiegały tędy żadne szlaki. Trzy znalezione tropy były stare, zachowały się jedynie dzięki temu, że kopyta Araxa odcisnęły się w zasychającym błocie.

Kiedy członkowie drużyny wsiadali na konie, żeby ruszyć w dalszą drogę, Rollan pozostał jeszcze obok tropów. Obwiódł je palcem i próbował wyobrazić sobie rozmiary zwierzęcia. Ślady były znacznie większe od odcisków końskich kopyt, więc Arax musiał być ogromny. Jaki baran osiągał rozmiary konia? A Arax był jeszcze większy!

– Jedziesz? – zapytał Conor z wysokości siodła.

Rollan podniósł na niego wzrok. Wcześniej Briggan obwąchał dokładnie tropy i pobiegł naprzód, żeby iść truchtem obok konia Barlowa, jadącego na przodzie. Conor pozostał z tyłu.

– Pasałeś kiedyś tak wielkie owce? – zapytał Rollan, wskazując swojego wierzchowca.

Conor się zaśmiał.

– Mieliśmy kilka całkiem sporych piękności, ale żadne nie zostawiały podobnych śladów.

Rollan wspiął się na siodło i zerknął na tropy przez ramię.

– Na pewno chcemy go spotkać?

Conor wzruszył ramionami.

– Jeśli zamierzamy znaleźć talizman, to tak – odparł i zmusił konia do kłusu.

Rollan również trącił boki wierzchowca piętami. Jadąc, trzymał się w pobliżu Conora.

– Ten talizman to podobno Granitowy Baran, prawda? W każdym razie tak twierdzi Tarik.

– Zgadza się. Jego moce muszą mieć coś wspólnego z baranami.

– Może powinniśmy pozwolić, żeby Meilin sama załatwiła tę sprawę?

Conor się roześmiał.

– Rzeczywiście dała niezły popis.

– Dorastałem na ulicach wielkiego miasta – powiedział Rollan. – Widziałem wiele bójek, w wielu też brałem udział. Były to utarczki między dzieciakami i między dorosłymi, ale nigdy nie spotkałem nikogo, kto by walczył tak jak ona. Nikt nie mógłby się z nią równać.

– Zauważyłeś, jak ona szybko zadawała ciosy? Mogłaby trafić mnie dziesięć razy, zanim sam zdążyłbym wykonać dwa uderzenia.

– I tak zablokowałaby oba twoje ciosy. Moje zresztą też. Co my tu w ogóle robimy?

– Ciągle zadaję sobie to pytanie – mruknął Conor. – Nadal jednak mamy swoje zwierzoduchy.

Rollan popatrzył w niebo, ale Essix nigdzie nie było widać.

– Ty masz. Jaki jest twój sekret?

– Bawię się z Brigganem, mówię do niego – odparł Conor. – Sam zresztą widziałeś. Zapewniam cię, że nie udzielam mu żadnych tajnych lekcji, gdy wszyscy śpią.

– Też mówię do Essix, kiedy jest w pobliżu. Ale mam wrażenie, że ona mnie tylko toleruje. Chciałbym, żebyśmy naprawdę się rozumieli.

– Sam nie wiem, jak dobrze rozumiem Briggana – powiedział Conor. – Nasza więź jest bliższa niż na początku, ale on też czasem lubi robić coś beze mnie. Znika mi z pola widzenia i wszystko obwąchuje.

– Ale potem przybiega. I zwraca na ciebie uwagę.

– Essix też przylatuje wtedy, kiedy jest to ważne – zauważył Conor.

– Pewnie tak – przyznał Rollan. – Zawsze byłem niezły w odczytywaniu ludzkich emocji, wiesz? Tam gdzie mieszkałem, musiałem się tego nauczyć. Gdybym nie był ostrożny, wielu nieprzyjemnych ludzi mogłoby zrobić mi krzywdę. Ale z pomocą Essix wyraźnie widzę nawet drobne szczegóły.

– Pożyteczna umiejętność – powiedział Conor.

– Chciałbym umieć przenosić ją w stan uśpienia.

– Mam ten sam problem z Brigganem.

Rollan parsknął.

– A Królewna Idealna robi to, od kiedy ją znamy. Zapytałbym, jak jej się to udaje, gdyby czasem z nami rozmawiała.

– Nie powinniśmy być dla niej zbyt surowi. Pewnie jest po prostu nieśmiała.

Rollan roześmiał się w głos.

– To jedna możliwość. Ale nie myślisz chyba, że tylko o to chodzi? Wiem, że jesteś poczciwy i wychowałeś się na owczych pastwiskach, jednak nie możesz chyba być aż tak naiwny.

Conor zaczerwienił się lekko.

– Sądzisz, że ona uważa się za lepszą od nas?

– Ależ ja niczego takiego nie powiedziałem... To twoje słowa.

– Może rzeczywiście jest od nas lepsza?

Rollan znów się zaśmiał.

– Być może masz rację. Z całą pewnością potrafi walczyć lepiej od nas. Poza tym lepiej kontroluje swojego zwierzoducha, jest bogata, ładna, a jej ojciec to generał.

– Wszyscy należymy do tej samej drużyny – odparł Conor. – Bez względu na swoją przeszłość Meilin wstąpiła do Zielonych Płaszczy, tak jak ja.

Rollan wyraźnie się nachmurzył.

– Jasne, rozumiem. Ja tu jestem czarną owcą. Wy wszyscy należycie do Zielonych Płaszczy, ja nie. Dlaczego zawsze na mnie naciskacie?

– Nacisk, który odczuwasz, nazywa się sumienie – powiedział Conor, patrząc Rollanowi prosto w oczy.

– Nie wiem zbyt wiele na temat sumienia. Matka mnie porzuciła, zanim zdążyła mnie czegokolwiek nauczyć.

– Mój ojciec oddał mnie na służbę, żeby spłacić długi – odparował Conor.

Rollan nie mógł uwierzyć, że ta rozmowa zamieniła się w rywalizację.

– Słuchaj, moje okropne dzieciństwo to wszystko, co mam! Nie waż się próbować mnie przelicytować!

W odpowiedzi Conor uśmiechnął się niechętnie.

– Nie widziałeś mojego ojca w złym humorze – zażartował. – Ale chyba wygrałeś, niech ci będzie.

– Miło chociaż raz wygrać – rzucił Rollan.

Później tego samego dnia wiatr zaczął się wzmagać. Zebrały się chmury, niebo pociemniało i nabrało nierównej barwy starych siniaków. Popołudnie zrobiło się chłodniejsze, więc Conor pokazał Rollanowi, jak się okryć kocem.

– Potrzeba kilku warstw odzienia – tłumaczył, owijając koc wokół ramion. – Kiedy raz się zmarznie, trudno jest się znowu rozgrzać.

– Myślisz, że zrobi się jeszcze zimniej? – zastanawiał się Rollan.

– Nie podoba mi się dzisiejsze niebo – odparł Conor. – Widziałem już podobny kolor. Zawsze przed załamaniem pogody.

– Masz dobre wyczucie – powiedział Barlow, zbliżając się konno. – Gdybyśmy byli na równinie, obawiałbym się tornada.

– Tornada! – wykrzyknął Rollan i uważnie przyjrzał się sinym chmurom.

Oczywiście, że musiało nadejść tornado. W przeciwnym razie walka z Araxem byłaby zbyt łatwa.

– Czy w górach tornado nie jest bardziej niebezpieczne? Zwieje nas z jakiegoś uskoku…

Tego dnia teren stawał się w trakcie podróży coraz trudniejszy. Rozpadliny były coraz głębsze i bardziej strome, otaczające je szczyty wyrastały coraz wyżej, a wiecznie zielone drzewa i krzewy przybierały na tej wysokości dziwne, poskręcane kształty. Wędrowcy mijali połacie nagich skał i rumowiska odłamków. Rollan wolałby nie jeździć konno tuż nad przepaścią, tak jak w tej właśnie chwili. Czuł, że ma alergię na spadanie.

– W górach trąby powietrzne trafiają się rzadziej niż na równinach – powiedział Barlow. – Ale to nie oznacza, że pogoda nie potrafi być niebezpieczna. Może nas tu zaskoczyć wichura, deszcz, a nawet zamieć śnieżna.

– Prawdopodobnie moglibyśmy się schronić pod tamtą przepaścią – wskazał Conor. – Urwisko jest pochyłe, więc deszcz nie kapałby nam na głowy. Jeśli wiatr nie zmieni kierunku, powinno nam to zapewnić wystarczającą ochronę. Te małe sosny u podnóża ściany dodatkowo by nas osłoniły, a wokół jest dość szczytów, żeby przyciągać pioruny.

– Oho! – zawołał Barlow. – Widzę, że ktoś tu spędził sporo czasu w dziczy!

Conor opuścił głowę, ale Rollan widział, że kolega był zadowolony z tej pochwały.

– Pasałem kiedyś owce – odparł Conor.

– Monte! – krzyknął do przyjaciela Barlow. – Conor uważa, że powinniśmy się zatrzymać pod tą przewieszoną skałą, dopóki nie zobaczymy, jak się zmieni pogoda.

Monte zatrzymał konia i rozejrzał się po okolicy.

– Chłopak mówi do rzeczy. Zgadzam się.

– Poczekaj tylko, aż będziemy musieli znaleźć coś do jedzenia w niebezpiecznej okolicy – powiedział do Conora Rollan. – Ucieszysz się, że tu jestem.

– Już się z tego cieszę.

Silny podmuch niemal zwiał Conorowi koc z ramion. Chłopak musiał mocno przytrzymać skraj tkaniny i poczekać, aż wiatr osłabnie.

– Chyba powinieneś przywołać Essix.

Rollan spojrzał w górę. Niebo jeszcze bardziej pociemniało. Nigdzie nie widział śladu sokolicy.

– Essix! – zawołał. – Wracaj! Nadchodzi burza!

Wiatr dmuchnął znów mocniej. Rollana zakłuło w twarz coś, co wziął za kamyki. Kiedy podmuch osłabł, kamyki poczęły stukotać o skały wokół, choć nad wędrowcami widniało jasne niebo.

– Grad! – zahuczał Barlow. – Wszyscy pod urwisko!

Coś łupnęło Rollana w głowę. Zabolało go, chociaż miał kaptur. Zorientował się, że to, co uznał za kamyki, było w istocie grudkami lodu, które z każdą chwilą robiły się coraz większe.

Conor poderwał wierzchowca do galopu. Rollan wbił pięty w boki konia i strzelił wodzami. Kiedy i jego rumak zerwał się do biegu, grad rozpadał się na dobre. Grudy lodu uderzały w skaliste zbocza i rozpryskiwały się na wszystkie strony.

Twarda jak kamień bryła lodu trafiła Rollana w rękę, zaskakując go siłą rażenia. Chłopak opuścił głowę, żeby chronić twarz. Wiatr znowu dmuchnął, niosąc więcej lodowych pocisków. Tarik i Meilin zdołali dotrzeć do schronienia pod wiszącą skałą, Monte był już blisko. Za nim jechał Conor, tyły zaś zamykał Barlow.

Gruda lodu trafiła Rollana w czoło. Zanim chłopak się zorientował, co zaszło, przechylił się w siodle i bezwładnie zawisł przy boku konia. Jedną stopę miał nadal w strzemieniu, ale stracił równowagę. Tymczasem ziemia uciekała spod końskich kopyt bardzo szybko. I bardzo blisko jego głowy. Rollan objął bok konia ramionami. Upadek na skały przy tej prędkości spowodowałby poważne obrażenia. Nagle koń zwolnił do kłusa, a czyjaś silna ręka złapała Rollana za ramię i poprawiła w siodle.

– Nic ci nie jest?! – upewnił się Barlow, przekrzykując wycie wiatru i grad trzaskający wokół.

Rollan rozważył okoliczności i doszedł do wniosku, że w tej sytuacji już samo pozostanie przy życiu oznaczało, że nic mu nie jest.

– Jedźmy! – zawołał i wtulił się w końską grzywę.

Grad walił bez opamiętania. Najmniejsze bryłki lodu miały wielkość kciuka Rollana, a niektóre dorównywały rozmiarami jego pięści. Chłopak czuł nerwowy oddech wierzchowca, pędzącego w stronę schronienia.

Rollan i Barlow dotarli do bezpiecznej kryjówki pod urwiskiem i zeskoczyli z koni. Rollan nie zauważył, że krwawi z rozcięcia nad czołem aż do chwili, gdy poczuł w ustach smak krwi. Tarik nakazał chłopakowi usiąść i oprzeć się plecami o skałę, po czym wydobył skądś czystą chustkę.

Grad nadal padał i hałasował, ale już się nie sypał członkom drużyny na głowy. Dolatywały do nich jedynie odłamki lodu odbite od skał.

Conor pomógł Montemu rozstawić konie tak, żeby stanowiły one dodatkową osłonę przed wiatrem.

Meilin wraz z Jhi przysiadła obok Rollana. Panda się nachyliła i polizała chłopaka po czole.

– Patrzcie tylko – powiedział Tarik.

– Co takiego? – zapytał Rollan. Poczuł się... inaczej.

– Twoja rana się zasklepia – wyjaśnił Tarik i spojrzał na Meilin. – Wiedziałaś, co zamierza Jhi?

– Przywołałam ją z uśpienia i poprosiłam, żeby mu pomogła – odparła Meilin. – Jhi jest przecież uzdrowicielką.

– Nie było to straszne zranienie – powiedział Tarik do Rollana – ale mogło długo krwawić. Dzięki pandzie już się zasklepia. Miałeś szczęście.

– Szczęściem nazywasz uderzenie górą lodową w czoło? – upewnił się Rollan.

– Miałem na myśli odwrócenie skutków wyrządzonej szkody – poprawił go Tarik.

Rollan spojrzał na Meilin i Jhi z wdzięcznością.

– Dziękuję wam za uprzejmość i troskę. Teraz już chyba będzie ze mną dobrze. – Nadal czuł się trochę słabo. Nie był pewien, ile pandziej śliny przydałoby mu się jeszcze na czole.

– Cieszę się, że mogłyśmy pomóc – odparła Meilin.

Barlow i Monte usiłowali rozniecić ognisko. W tym czasie Tarik upewniał się, że wszyscy są szczelnie owinięci kocami. Dokoła wył wiatr, ale kryjówka chroniła drużynę przed jego najgorszymi podmuchami. Grad zmalał do rozmiarów niewielkich kulek, które tworzyły wszędzie lodowe zaspy.

– Nigdy w życiu nie widziałem takiego gradobicia – przyznał Monte, porzuciwszy daremne próby rozniecenia ognia. – To nie może być zbieg okoliczności.

Cała grupa zbiła się w ciasny krąg, żeby oszczędzać ciepło.

– Myślisz, że Arax zesłał grad, żeby nas odstraszyć? – zapytała Meilin.

– Jeśli tak, to będzie potrzebował czegoś więcej niż tylko odrobiny lodu – stwierdził Tarik.

– Powiedz to mojemu czołu – mruknął Rollan. – Nie będzie ogniska?

Monte pokręcił głową.

– Wiatr jest zbyt silny – wyjaśnił Barlow. – I nie ma suchego drewna na rozpałkę.

Rollan patrzył pomiędzy końskimi nogami na grad, padający teraz prawie zupełnie poziomo. Z narastającym poczuciem desperacji rozglądał się po niebie za sokolicą, ale nigdzie jej nie wypatrzył.

– Myślicie, że Essix nic nie będzie? – zapytał, niemal bojąc się wypowiedzieć na głos swoje wątpliwości.

– Prawdopodobnie znalazła schronienie, zanim jeszcze my to zrobiliśmy – stwierdził Barlow. – Instynkt powinien zapewnić jej bezpieczeństwo nawet w znacznie gorszych warunkach.

– Grad nadal wali – zauważył Monte.

– Przeczekamy – zadecydował Tarik. – Żadne gradobicie nie trwa wiecznie.

Rollan niepewnie pokiwał głową. Nie wiedział, czego należy się bardziej obawiać: burzy czy też barana, który ją sprowadził.

Wraz z zapadnięciem zmroku grad nareszcie ustał. Kiedy wiatr przycichł, Barlow i Monte rozpalili ognisko. W nocy odpuścił też mróz, więc do rana nie było śladu po lodowych zaspach.

Niedługo po wschodzie słońca przyfrunęła Essix. Jej pióra były równie lśniące, co zawsze. Rollan powitał sokolicę ciepło i nakarmił ją prowiantem z juków. Pomimo zapewnień Barlowa wyobrażał sobie, że Essix moknie i cierpi, a jej delikatne kości roztrzaskują się w drzazgi od uderzeń lodowych kul. Sokolica zachowywała się jednak tak, jakby nic szczególnego nie zaszło, i zaraz po posiłku znów poderwała się do lotu. Rollan z ulgą przyjął jej zwykłą nonszalancję.

Po dwóch kolejnych dniach powolnej wędrówki drużyna ponownie natrafiła na olbrzymie tropy barana. Jednak tym razem pierwszy, przed Scrubberem, znalazł je Briggan.

– Nie są całkiem świeże, ale i nie stare – stwierdził Monte, obejrzawszy dokładnie jeden z tropów. – Sprzed trzech, może nawet dwóch dni.

– Czyli jesteśmy naprawdę blisko – powiedział Rollan i wskazał kępę krzaków. – Dla bezpieczeństwa jeden z nas powinien tu zostać. W ukryciu.

Monte zachichotał.

– Może lepiej dwóch.

Członkowie wyprawy jechali śladem Araxa, a Rollan martwił się coraz bardziej. Jakaś część jego umysłu podejrzewała, że nie uda im się znaleźć barana. Pomysł stanięcia twarzą w twarz z jedną z Wielkich Bestii wydawał mu się nierealny. Ale świeże ślady sprawiły, że ta możliwość zaczęła nabierać rzeczywistych kształtów.

Podążając górską granią, wjechali w jeszcze bardziej skalisty teren. W chłodnym i rozrzedzonym powietrzu dominowała metaliczna woń granitu, choć nadal dało się też wyczuć zapach sosen. Roślinność była coraz rzadsza. Tylko małe, skarłowaciałe i wiecznie zielone krzewy uparcie trzymały się życia i spłachetków ubogiej gleby. Zdarzało się, że droga wiodła drużynę wąskimi półkami skalnymi, na których konie ledwo się mieściły. Kiedy podróżnicy pokonywali odcinek skalnej ścieżki, ograniczony po lewej urwiskiem przyprawiającym o zawrót głowy, po prawej zaś – pionową ścianą, Rollan starał się nie myśleć o tym, co by się stało, gdyby jego koń się potknął.

Skalisty grunt utrudniał znajdywanie śladów, ale Briggan nie tracił pewności siebie.

Po południu dotarli do niebezpiecznego odcinka trasy, którego konie nie były w stanie pokonać. Wszyscy więc zebrali niezbędny sprzęt i broń, a Barlow i Monte spętali wierzchowce. Dalej wędrowcy ruszyli pieszo wzdłuż wąskiej półki skalnej, plecami przyciskając się do pionowej ściany. Za krawędzią półki ziała głęboka przepaść. Rollan zazdrościł Essix, która szybowała z podmuchami wiatru, podczas gdy pozostałe zwierzoduchy oraz ludzie ryzykowali upadkiem. Na szczęście nikt nie stracił równowagi, a Briggan pokonał ten odcinek niemal biegiem.

Na drugim końcu półki skalnej po raz pierwszy zobaczyli Araxa.

W ich polu widzenia znalazły się cztery szczyty gór, połączone długimi przełęczami, pokryte śniegiem leżącym w cienistych załamaniach skalnych. Baran stał w pewnej odległości na skalnym występie, oświetlony od tyłu promieniami słońca. Nawet z daleka widać było, że jest ogromny. Jego wielką głowę wieńczyła korona kręconych rogów. Wszyscy na moment zamarli, po czym Arax jednym skokiem zniknął im z oczu.

– Tym razem był bliżej – powiedział Barlow, nerwowo wodząc palcami po wargach.

– Szkoda, że zaraz zapadnie noc – dodał ponuro Tarik.

– Widział nas – przypomniał Barlow. – Jeśli będziemy zwlekać z pościgiem, do rana będzie już daleko stąd.

– W takim razie głosuję, że lepiej poczekać – stwierdził sucho Monte.

Dalej prowadzili Tarik i Briggan z Conorem. Ostrożnie pokonali pochyłe skalne rumowisko, wyglądające jak pozostałość lawiny kamieni. U stóp piargu minęli ogromny, płaski głaz i zobaczyli przed sobą półkę skalną, najszerszą i zarazem najdłuższą z dotąd widzianych. Za nią była już tylko przepaść.

Na końcu półki czekał na nich Arax.

Baran był niemal dwukrotnie wyższy od największego z ich koni. Jego sierść miała kolor ciemnego srebra, a jego grube rogi mieniły się złotem. Miał krzepką i potężną posturę. U nasady jego nóg i na karku wyraźnie widać było zwały mięśni.

Rollan wpatrywał się w Araxa ze zdumieniem. W obliczu ogromnego barana miał wrażenie, jakby sam zmalał. Zwierzę było starsze niż narody Erdas i w jakiś sposób historia świata zdawała się wpisana w jego majestatyczny wygląd. Nie było ono stworzeniem, któremu można by cokolwiek ukraść. Było legendarną Wielką Bestią, którą należało czcić.

Rollan zerknął na towarzyszy. Oni też oniemieli i stali w bezruchu.

Ucho Araxa zadrgało. Baran parsknął i niespokojnie tupnął przednimi racicami. Rollan nie był pewien, czego od nich oczekiwał. Czy powinni się odezwać? A może uciekać? Albo lepiej się ukłonić?

Oczy Bestii budziły niepokój. Miały kolor żółtek jaj i poziome szparki źrenic.

– Poszukujecie mnie otwarcie – rzekł Arax głębokim, basowo rezonującym głosem.

Rollan nie był pewien, czy słyszał jego słowa za pośrednictwem uszu, czy też bezpośrednio, we własnym umyśle. Wydawało się niemożliwe, żeby to gigantyczne stworzenie potrafiło mówić.

– Napotkałem już kiedyś dwóch z was, ludzie. Pozwoliłem wam odejść w pokoju. Po co wróciliście?

– Przywiodła nas tutaj wizja, którą zesłał Briggan – powiedział Barlow.

Arax przechylił łeb.

– Briggan? – Rozdął nozdrza. – Teraz rozumiem. Wyczułem nadnaturalną obecność. Teraz ich poznaję. Są inni niż podczas naszego ostatniego spotkania. Briggan oraz Essix. Znowu nadszedł ich czas.

Rollan spojrzał w niebo. Essix kołowała, niesiona prądami powietrza.

W błysku światła Meilin uwolniła Jhi. Panda przysiadła i wpatrzyła się w Araxa.

– Jest i Jhi – rzekł baran. – A Uraza?

– Urazy z nami nie ma – oznajmił Tarik. – Ale i ona powróciła.

– Cieszę się z ich powrotu, choć bardzo się różnią od zwierząt, którymi niegdyś byli. Wszyscy są jak młode źdźbła trawy. Jednak wielcy często mają niskie pochodzenie – powiedział baran i potrząsnął łbem.

– Czworo Poległych nie powróciło samotnie – oznajmił Tarik. – Pojawił się również Pożeracz.

– Ach, tak – rzekł Arax. – Szukacie rady. Stare siły ponownie działają. Można uwięzić Wielką Bestię, ale nie na zawsze. Gerathon i Kovo zaczynają się budzić.

Tarik zamarł z wrażenia.

– Czy małpa jest na wolności? Czy wąż uciekł?

– Jeśli jeszcze nie teraz, nastąpi to wkrótce. Nie jestem równie wyczulony na takie sprawy, jak niektórzy z nas. Tellun jest w tym najlepszy.

Briggan zaszczekał, więc Arax opuścił łeb i dodał:

– Briggan swego czasu też był w tym dobry.

– Pożeracz przyjdzie po twój talizman – powiedział Tarik. – Przybyliśmy, aby z całym należnym szacunkiem zapytać, czy zechcesz nam go użyczyć. Będziemy potrzebowali pomocy w nadchodzącej wojnie.

Arax parsknął i zatupał racicami. Ich uderzenia o skalne podłoże zadźwięczały jak młot na kowadle.

– Chcecie mój talizman? Nie wypowiadaj takich słów w mojej obecności!

Essix wylądowała na ramieniu Rollana i zaskrzeczała głośno. Jej szpony przebiły opończę chłopaka i zakłuły go w bark.

Rollan przełknął ślinę i odzyskał głos.

– Ona się chyba z tobą nie zgadza – odezwał się.

Oczy w kolorze żółtek zwróciły się ku niemu.

– Rozumiem ją znacznie lepiej niż ty. – Głos Araxa brzmiał jak echo gromu. – Polegli utrzymywali, że rozwiązaniem jest zjednoczenie i opór. Dlatego właśnie polegli.

Briggan zawarczał. Essix zakrzyczała przeciągle i rozłożyła skrzydła. Nawet Jhi wstała i wpatrywała się w barana z niezwykłą jak dla niej mocą.

– Dlatego też został pokonany Pożeracz – przypomniał Tarik. – Dlatego Kovo i Gerathon zostali pojmani.

– I to miało być dobre rozwiązanie? – rzucił wyzywająco Arax. – Ich nienawiść gniła jak rana. Tak długo, jak nasz rodzaj istnieje, nie można ich zniszczyć, w każdym razie nie na zawsze. Kiedy spotykamy się w gniewie, dzieją się złe rzeczy. Lepiej jest, kiedy pozostajemy osobno w swoich światach. Podczas ostatniej wojny nikt nie żądał mojego talizmanu. Teraz też nikt go nie dostanie. – Znów podniósł racicę i uderzył nią o skałę. – Powiedziałem.

– To wszystko? – zapytał z niedowierzaniem Rollan.

– Proszę, przemyśl to – zwrócił się do barana Tarik. – Musimy mieć twój talizman. Nasi wrogowie nie ustąpią. My też nie możemy ustąpić.

Arax poderwał wysoko głowę. Jego nozdrza się rozszerzyły, a uszy zadrgały.

– Zdrajcy! – zaryczał. Miał szaleństwo w oczach. – Nadchodzą obcy! Okłamaliście mnie! Jest z nimi Uraza! Drogo za to zapłacicie! – Baran stanął na tylnych nogach, a potem zaszarżował.

Wprost na Tarika.

16

SPOTKANIE

Kiedy Arax zaatakował, Tarik rzucił się w bok, ledwie unikając stratowania. Ogromne rogi barana uderzyły w skałę z siłą trzęsienia ziemi. Odłamki głazów eksplodowały, a na twardej powierzchni ukazała się pajęczyna pęknięć. Półka skalna pod stopami drużyny zadrżała.

Tarik dobył miecza, a w błysku światła ukazała się jego wydra.

Arax znowu zaatakował, lecz tym razem Tarik z gracją uskoczył mu z drogi.

Meilin rozejrzała się wokół. Półka skalna w miejscu, w którym stali, była bardzo szeroka. Utrzymywała mniej więcej równą szerokość aż do gwałtownego zwężenia. Za nim ziała przepaść.

Błysnęło – to Barlow przywołał Joolsa. Niedźwiedź grizzly całą masą potężnego cielska naparł na tylną nogę Araxa i go odepchnął. Żeby się nie przewrócić, baran wykonał serię szybkich, drobnych kroków. Zaraz potem wierzgnął ostro i trafił niedźwiedzia ogromną racicą tak mocno, że ten potoczył się wzdłuż półki.

Meilin pobiegła w przeciwnym kierunku, żeby zobaczyć, jacy przybysze wzbudzili gniew Wielkiej Bestii. Miała nadzieję, że wraz z Urazą nadciąga wsparcie. Drugi oddział Zielonych Płaszczy mógłby znacznie wspomóc ich w walce z olbrzymim baranem.

Minęła płaską skałę i spojrzała w górę kamienistego zbocza. W ich kierunku zbliżało się dziesięciu, nie, jedenastu ludzi. Byli już całkiem niedaleko. Żaden nie nosił zielonego płaszcza, choć kilku z nich towarzyszyły zwierzoduchy. U boku lamparcicy, lekko przeskakując pomiędzy kamieniami, biegła dziewczyna pochodząca z Nilo. Wspaniała lamparcica poruszała się z tą szczególną mieszaniną gracji i siły, charakterystyczną dla wielkich kotów. Dziewczyna była szczupła, wysoka jak na swój wiek; pokonywała zdradliwe rumowisko pewnym krokiem. W ruchach jej i lamparcicy widać było synchronizację, zupełnie jakby obie poruszały się do rytmu niesłyszalnej muzyki. Musiały to być Uraza i jej ludzka towarzyszka.

Meilin zobaczyła też pawiana, rosomaka, pumę, szakala oraz amayańskiego kondora o rozłożystych skrzydłach. Widywała wcześniej te stworzenia w menażeriach w Zhong, ale patrząc, jak zbiegają zboczem, prosto na nią, miała zupełnie inne odczucia niż wtedy, gdy obserwowała je w klatkach i wolierach.

– To nie są Zielone Płaszcze! – wykrzyknęła, odwracając się do towarzyszy.

– Nie przygotowaliśmy zasadzki! – zawołał Tarik do Araxa. – Oni są wysłannikami naszych wrogów!

Baran znowu zaszarżował. Tarik odskoczył na bok. Miał jedną sekundę, żeby uderzyć Bestię mieczem, ale nie wykorzystał tej szansy.

– Wszyscy przybyliście tu w tym samym celu! – huczał Arax. – Chcecie skraść mojego Granitowego Barana!

Rollan, Conor i Monte dołączyli do Meilin, a Barlow wraz z Tarikiem stawiali czoła Wielkiej Bestii.

– To Zerif! – wykrzyknął Rollan na widok nadciągającej grupy.

Mężczyzna o zadbanej bródce uniósł głowę i zasalutował mu na powitanie. U jego boku biegł szakal.

– Znowu się spotykamy! – zawołał Zerif. – Podoba mi się kolor twojego płaszcza, Rollanie!

– Przybyłeś, żeby z nami walczyć?

– Tylko jeśli nie zechcecie się do nas przyłączyć – odpowiedział Zerif z pewnym siebie uśmiechem. – Sylvo, znajdź talizman.

W nagłym rozbłysku znad nadgarstka jednej z towarzyszących mu kobiet wyfrunął nietoperz wampir. Kobieta złapała go oburącz i zamknęła oczy. Otworzyła je po krótkiej chwili. Czyżby nagle stały się ciemniejsze?

– Zrobione – oznajmiła.

– Idź po niego – rozkazał Zerif. – My w tym czasie posprzątamy ten bałagan.

Sylva się oddaliła, a reszta przybyszów zbliżała się do półki w szybkim tempie.

– Abeke! – zawołała Meilin do ciemnoskórej dziewczyny. – Szukaliśmy cię! Dlaczego im pomagasz?!

– Abeke chce, żeby tym razem Uraza walczyła po właściwej stronie – powiedział dobitnie chłopak z rosomakiem u boku. – Pora, żeby organizacja Zielonych Płaszczy straciła kontrolę nad światem.

Briggan zawarczał, odsłaniając zęby. Uraza odpowiedziała mu tym samym. Wręcz namacalne napięcie pomiędzy dwoma zwierzoduchami sprawiło, że Meilin ścisnęła mocniej swój kij.

– Wycofajcie się – doradził Monte, chowając się za płaską skałę. – Idą na nas. Starajcie się jak najdłużej pozostać w ukryciu. Zmusimy ich do walki na równym terenie.

Monte miał rację. Meilin wycofała się razem z pozostałymi, czując nerwowy skurcz żołądka. Nigdy wcześniej nie stawała do prawdziwej walki! Nawet pojedynek z wojownikiem Kruków odbywał się według ustalonych zasad. Dziewczyna nie była pewna, jak sobie poradzi w walce, której stawką było własne życie. Zastanawiała się, do jakich nieczystych sztuczek uciekną się nadciągający wrogowie.

Zauważyła, że Jhi wygrzebuje łapą jakąś roślinę z pęknięcia w skale.

– Jhi! Pomożesz mi, tak jak Lumeo pomaga Tarikowi? Mamy kłopoty! Przyda mi się każda moc, jakiej zechcesz mi użyczyć.

Panda spojrzała na nią bez emocji i dalej szukała pędów. Meilin odwróciła wzrok z odrazą.

Conor przenosił ciężar ciała z nogi na nogę. Pobielałymi palcami ściskał trzonek topora. Briggan przechadzał się nerwowo tuż obok, jeżąc sierść na grzbiecie.

– Poradzisz sobie – powiedziała Conorowi Meilin.

Chłopak spojrzał na nią z niewyraźnym uśmiechem.

– Narąbałem w życiu sporo drewna. Więc jeśli nie będą się za bardzo ruszać, pokażę, co potrafię.

Meilin się roześmiała, zaskoczona. Żart w takiej sytuacji wymagał odwagi.

Rollan patrzył w niebo, gdzie na dużej wysokości krążyła Essix.

– Zamierzasz nam pomóc?! – wrzasnął, sfrustrowany.

Meilin obejrzała się przez ramię. Zobaczyła, jak Barlow, leżący na skale, próbuje uniknąć stratowania przez ogromne racice Araxa. Tarik i Jools rzucili się, żeby mu pomóc. Kiedy dziewczyna odwróciła się z powrotem w stronę piargu, zza załomu skały wypadł człowiek z Amayi – szarżował na nich na bizonie. Wraz z towarzyszami Meilin odskoczyła na bok.

W polu widzenia pojawiło się więcej wrogów.

Meilin tylko do pewnego stopnia zdawała sobie sprawę z zamieszania panującego wokół: Briggan próbował zębami dosięgnąć brzucha bizona; Conor wymachiwał toporem, trzymając na dystans kozicę; Rollan cofał się ze sztyletem w dłoni; Monte strzelał kamieniami z procy.

Meilin skupiła uwagę na kobiecie, która pewnym krokiem zbliżała się wraz ze swoją pumą, i przybrała niską postawę bojową. Jhi zaś stanęła na tylnych łapach obok niej. Kobieta opuściła włócznię. Z wargami ściągniętymi w nienawistnym grymasie rzuciła się na Meilin. Jej skok był nieprawdopodobnie długi. Meilin zdecydowanie odbiła grot włóczni kijem, po czym z obrotu uderzyła przeciwniczkę w bok głowy. Amayanka runęła na ziemię jak podcięte drzewo.

Meilin przygotowała się do starcia z żądną zemsty pumą. Gotowe do skoku zwierzę wpatrywało się jednak w Jhi – zamarło w bezruchu na kilka sekund. Wtedy panda podeszła na tylnych łapach do zahipnotyzowanej pumy i oparła przednie łapy o jej skronie. Oczy kocicy się zamgliły, jej powieki opadły i... zwierzę zwinęło się w kłębek. Po chwili zapadło w głęboki sen.

– Lepsze to niż nic – mruknęła Meilin, rozglądając się po polu bitwy.

Barlow pomagał Tarikowi przyciągnąć uwagę Araxa do członków drużyny Zerifa. Meilin rozumiała i aprobowała ich strategię: niech nowo przybyli również stawią czoła Wielkiej Bestii. Briggan dołączył do Conora. Na ziemi przed nimi leżał jakiś Amayanin, a jego kozica wycofywała się przed zębami Briggana i toporem Conora. Monte siłował się z kobietą pochodzącą ewidentnie z Zhong, jej zwinna mangusta tarzała się po ziemi ze Scrubberem. Wyglądało na to, że Monte ma kłopoty.

Ojciec ostrzegał Meilin, że na polu bitwy nie ma miejsca na sportowe zachowania. Kiedy w grę wchodziło własne życie, należało walczyć z całych sił i wykorzystywać wszelkie możliwe okazje i sposoby, ponieważ wróg robił dokładnie to samo. Dlatego Meilin podbiegła do Montego, kijem raziła jego przeciwniczkę w tył głowy, po czym drugim uderzeniem ogłuszyła mangustę.

Na Araxa zaszarżował bizon. Barlow wraz z Tarikiem musieli uskoczyć mu z drogi. Bizon był ogromny i silny, mimo to w porównaniu z gigantycznym baranem wydawał się żałośnie drobny. Towarzysz bizona biegł tuż za nim, nadaremnie próbując go powstrzymać okrzykami. Nagle bizon i baran zderzyli się rogami z trzaskiem przyprawiającym o mdłości. Bezwładnego bizona odrzuciło w tył, z jego czaszki została tylko miazga. Amayanin zaczął rozpaczliwie zawodzić.

W górze zaskrzeczała Essix. Meilin podniosła wzrok i zobaczyła, że na szczycie płaskiej skały stoi Abeke wraz z Urazą. Dziewczyna, nękana przez Essix, próbowała mierzyć z łuku do przeciwników zajętych walką. Sokolica spadła z góry, żeby uniemożliwić jej strzał, i ugodziła szponami jej ręce. Uraza warknęła wściekle, usiłując odpędzić sokolicę zabójczymi pazurami. Essix znów zaskrzeczała.

– Nie, Abeke! – wykrzyknęła Meilin. – Dlaczego im pomagasz?!

Abeke próbowała zestrzelić Essix, ale o włos chybiła.

Meilin rozejrzała się za Jhi. Panda wspinała się ostrożnie po najmniej stromym podejściu na skałę, na której szczycie stała Abeke.

Tarik toczył pojedynek na miecze z Zerifem. Poruszał się jak akrobata, zwijając się w skokach i unikach, ale

Zerif był godnym przeciwnikiem. Parował wszystkie cięcia i kontratakował z niezwykłą szybkością.

– Meilin, uważaj! – ostrzegł ją Monte.

Dziewczyna obróciła się w ostatniej chwili, żeby uniknąć pchnięcia zadanego przez chłopaka z rosomakiem. Klinga jego szabli lśniła, podobnie jak złocisty jelec. Meilin usiłowała podciąć napastnikowi nogi, ale ten przeskoczył nad jej kijem i znowu prawie udało mu się jej dosięgnąć szablą. Kiedy ponownie starała się trafić go kijem, przerąbał go na pół, a gdy zaczęła walczyć, używając dwóch krótkich kijków, kolejny raz skrócił je precyzyjnymi cięciami. Chłopak był niezwykle szybki i miał wprawę w walce – Meilin zaczęła wątpić, czy dałaby mu radę nawet z mieczem w ręce.

W pewnej chwili się cofnęła i wyciągnęła pałkę – krótszą i grubszą od kija, a na dodatek okutą żelazem.

Nagle obok zjawił się Rollan ze sztyletem, ale wprawny szermierz odparował jego pchnięcie i kopniakiem odrzucił go na bok. Rosomak złapał leżącego Rollana za ramię i wściekle nim szarpał.

– Masz talent – powiedział obcy chłopak do Meilin. – Szkoda, że walczysz przeciw nam.

– Napadliście na moją ojczyznę – warknęła Meilin.

– To wyraz uznania dla was. Podziwiamy Zhong i marzymy o chwili, kiedy wyzwolimy je spod ucisku Zielonych Płaszczy.

Meilin zaatakowała pałką. Chłopak umknął przed jej uderzeniem, choć było szybkie jak błyskawica. Następne zablokował, potem zaś przeszedł do kontrataku. Meilin cofała się, ledwo radząc sobie pod naporem ciosów. Gdy zamachnął się i zadał cięcie, dziewczyna była tak skupiona na parowaniu, że kompletnie nie zwróciła uwagi na kopnięcie, które wybiło jej ziemię spod nóg.

Chłopak uśmiechnął się szeroko. Stał nad Meilin z szablą gotową do uderzenia.

– Proponuję, żebyś się poddała.

17

GRANITOWY BARAN

Ze swojej pozycji na skalnej płycie Abeke widziała całe pole bitwy. W dole Zerif pojedynkował się z członkiem Zielonych Płaszczy, który poruszał się w sposób, jakiego Abeke nigdy wcześniej nie widziała. Kręcił piruety i salta, ani razu nie myląc się i nie wypuszczając miecza. Shane walczył z dziewczyną z Zhong, która stawiała zaskakujący opór, biorąc pod uwagę jej młodość i drobną figurę. Abeke chciała pomóc koledze, strzelając z łuku, ale uprzykrzona sokolica ciągle ją atakowała, grożąc zerwaniem cięciwy pazurami. Abeke zdążyła już zmarnować dwie strzały, próbując trafić ptaka z minimalnej odległości.

Uraza zawarczała głucho. Abeke sądziła, że wie, o co chodzi lamparcicy. Pochyliła się nisko, żeby znaleźć się możliwie blisko niej. Nałożyła strzałę na cięciwę i wycelowała w dół. Kiedy sokolica podleciała bliżej, Abeke zrobiła unik, a wtedy lamparcica podskoczyła i zębami złapała ptaka za skrzydło. Sokolica szarpała się przez chwilę, ale szybko znieruchomiała, ponieważ Uraza wydała z siebie ostrzegawcze warknięcie.

Abeke znów nałożyła strzałę na cięciwę i napięła łuk. Prawdopodobnie najbardziej pomogłaby swoim towarzyszom w walce, gdyby strzeliła do wojownika, który zmagał się z Zerifem. Mogła też powalić olbrzyma z niedźwiedziem. Na razie jednak ten wielki mężczyzna odwracał uwagę Araxa, więc lepiej było zostawić go w spokoju. Baran zdążył już zmiażdżyć czaszkę bizona i stratować Neila wraz z jego pawianem.

Kiedy Abeke szukała celu, poczuła, jak łuk drży jej w rękach. Czy naprawdę powinna zastrzelić mężczyznę odzianego w zielony płaszcz? Przybyła tu zdecydowana pomóc Zerifowi i Shane'owi zdobyć talizman. Ale miała wrażenie, że wszystko szło nie tak.

Dziewczynie z Zhong towarzyszyła panda. Chłopak z toporem miał wilka. A nękająca ją sokolica... Czyżby to była Essix? Abeke walczyła przeciw trójce z Czworga Poległych, więc kto tu stał po niewłaściwej stronie?

Shane i Zerif chcieli, żeby została z nimi. Tak naprawdę jednak zależało im wyłącznie na Urazie. Abeke zmarszczyła czoło. Do czasu pojawienia się lamparcicy nikt nie okazywał jej zainteresowania. Sparaliżowana tymi myślami, nie potrafiła podjąć decyzji, a przez to traciła okazje do działania.

Panda zbliżała się do niej niespiesznie po skalnej gładzi. Wpatrywała się w nią przeszywającymi, srebrnymi oczami, osadzonymi w czarnej, kudłatej masce. To musiała być legendarna Jhi. Abeke miała świadomość, że wszędzie wokół powracali do życia bohaterowie starych opowieści: Zielone Płaszcze, baran Arax, Czworo Poległych. Kiedy ludzie będą opowiadać sobie historię tej bitwy, czy Abeke będzie w niej bohaterką czy złoczyńcą?

Uraza obserwowała zbliżającą się pandę, nie wypuszczając z pyska sokolicy. Jhi wydawała się wprost śmieszna, zbyt okrągła i niezdarna, żeby pokonać wąską grań. Abeke zwróciła łuk w jej kierunku.

Uraza spojrzała na Abeke i zawarczała gardłowo, nie uwalniając sokolicy. Dziewczyna szybko opuściła broń – lamparcica nigdy dotąd tak otwarcie jej nie skarciła.

Wreszcie panda dotarła na szczyt i obwąchała Urazę. Lamparcica wypuściła ptaka, który zeskoczył ze skalnej płyty i zerwał się do lotu. Uraza musiała trzymać jego skrzydło delikatnie, ponieważ wyglądało na to, że nie jest ono uszkodzone. A przecież gdyby chciała, mogłaby potężnymi szczękami oderwać je lub zmiażdżyć.

Uraza i Jhi zetknęły się nosami, a potem lamparcica spojrzała znów na Abeke i zamruczała.

– Rozpoznajesz Jhi? – zapytała Abeke.

Uraza wpatrywała się w nią intensywnie jasnymi, fioletowymi oczami. Po raz pierwszy Abeke nie była pewna, czego lamparcica od niej oczekuje.

Zacisnęła dłoń na łęczysku łuku. Jeśli nie chciała wyrządzić krzywdy drużynie Zielonych Płaszczy, może powinna po prostu pobiec po talizman? Po to w końcu tu przybyła. Jeśli udałoby się jej go zdobyć, to mogłaby zakończyć rozlew krwi.

W dole widziała, jak Shane z szablą gotową do uderzenia stoi nad dziewczyną z Zhong. Dziewczyna była bezbronna. Nagle chłopak z rosomakiem Shane'a uczepionym ramienia rzucił się na niego od tyłu. Abeke gwałtownie wciągnęła powietrze. Shane, zaskoczony atakiem, upadł ciężko i wypuścił broń. Jedna z jego nóg była wykrzywiona pod nienaturalnym kątem. Oswobodzona dziewczyna podniosła szablę i zaszachowała go ostrzem. Zamroczony Shane przywołał swojego rosomaka.

– Nie będziemy walczyć z Jhi – powiedziała Abeke do Urazy. – Ale proszę, nie pozwól im skrzywdzić Shane'a.

Uraza się odwróciła, ryknęła potężnie i zeskoczyła ze skały. Wysokość była spora – Abeke dobrowolnie nie zdecydowałaby się na podobny skok. Na dole Uraza jedną łapą przycisnęła do ziemi dziewczynę z Zhong, drugą zaś chłopaka. Dziewczyna wyglądała na przerażoną aż do chwili, gdy lamparcica warknęła wściekle na próbującego znów atakować rosomaka. Wówczas spojrzała w górę na Abeke, która poważnie skinęła głową, patrząc jej prosto w oczy. Przerażenie widoczne na twarzy dziewczyny ustąpiło miejsca zdumieniu.

Abeke popatrzyła w niebo w poszukiwaniu Essix. Dostrzegła, że sokolica szybuje nad półką skalną w miejscu, gdzie zwężenie kończyło się przepaścią. Poniżej sokolicy, na wąskiej perci stała Sylva i obserwowała swojego nietoperza latającego wokół małej szczeliny w ścianie skalnej, położonej daleko za krawędzią półki. Sylva wydawała się bezradna. Talizman znajdował się poza jej zasięgiem, prawdopodobnie w miejscu, nad którym krążył nietoperz. Nikt z walczących w dole nie zwracał uwagi na Sylvę. Abeke z łukiem w dłoni pobiegła wzdłuż skalnej półki. Gdyby pomogła Sylvie, być może razem zdołałyby dotrzeć do talizmanu i uciec.

Abeke zeszła pospiesznie po najmniej gładkiej ścianie skały, obcierając sobie przy tym ręce i nogi, a gdy pokonała już dwie trzecie drogi, skoczyła w dół. Wylądowała pewnie na skalnej półce, gdzie już czekała na nią Uraza.

– Musimy zdobyć talizman – powiedziała Abeke i popędziła w stronę szczeliny.

Zobaczyła, jak sokolica spada na nietoperza. Sylva krzyknęła, wyciągając ręce w stronę swojego zwierzoducha. Essix potrząsnęła nim najpierw brutalnie, po czym wypuściła go ze szponów. Nietoperz długo spadał, aż w końcu zniknął z pola widzenia. Zrozpaczona Sylva opadła na kolana i wyjrzała za krawędź przepaści, płacząc i głośno zawodząc.

Abeke nadal biegła.

Essix podfrunęła do małej szczeliny w miejscu, w którym chwilę wcześniej trzepotał nietoperz. Abeke dopiero teraz dostrzegła, że w szczelinie znajduje się kamienna skrzynia, ułożona ze sporych płyt. Sokolica dziobała i szarpała je szponami, ale nie mogła odsunąć wieka.

– Zostaw to! – zaryczał Arax, napełniając okolicę echem swych słów. – Wynoście się, złodzieje i oszuści!

Z hukiem potężnej rzeki na skalną półkę naparł straszliwy wiatr. Podmuch uderzył Abeke w plecy i pchał ją do przodu. Essix została zniesiona daleko od szczeliny, straciła kontrolę nad lotem i zaczęła spiralnie spadać, raz za razem uderzając o ścianę przepaści. W końcu udało jej się schronić w jakiejś wnęce osłoniętej od wichru.

Abeke pamiętała ostrzeżenia Zerifa, który wspominał, że Arax potrafi kontrolować wiatr. Umieli to również Tancerze Deszczu, jednak zmiana pogody wymagała od nich wielu dni przygotowań. Abeke nie sądziła, że wichura może nadejść tak nagle. Silne podmuchy wiatru zmieniały niespodziewanie kierunek, więc dziewczyna, biegnąc, musiała uważać, żeby nie upaść pod ich naporem. Uraza podążała obok niej, a wicher przyciskał jej futro do ciała.

W końcu Abeke dotarła do Sylvy.

– Co z nietoperzem? – zapytała.

– Boku wylądował na wąskiej perci tam, w dole – odparła kobieta, wyglądając przez krawędź z wyrazem rozpaczliwej paniki na twarzy. – Jest ranny.

Abeke przyjrzała się szczelinie z kamienną skrzynią. Znajdowała się ona wyżej niż skalna półka, na której stały, i w sporej odległości od nich. Na szczęście dziewczyna dostrzegła też niewielkie występy w skale, wiodące do szczeliny. Zerknęła na Urazę.

– Myślisz, że dam radę?

Lamparcica trąciła ją zachęcająco.

Zmysły Abeke się wyostrzyły. Doświadczała mocy Urazy, patrzyła jej oczami. Widziała zbocze góry bardziej dokładnie i zauważyła więcej miejsc, w których mogłaby znaleźć oparcie dla dłoni lub stóp. Poczuła przypływ pewności siebie. Odłożyła łuk i przysiadła. Wiatr wiał jej w plecy. Najbliższy występ w skale był daleko poza zasięgiem skoku zwykłego człowieka. Ale dzięki Urazie Abeke nie była zwykłym człowiekiem.

Wzięła rozbieg i skoczyła. Poczuła, jak podmuch wiatru wydłuża jej skok. Odbiła się od pierwszego występu i dotarła do drugiego, mniejszego. Ledwie go dotknęła, po czym wyciągnęła się najdalej, jak mogła, i oburącz chwyciła się kolejnego występu, obcierając sobie ręce od łokci do nadgarstków. Wiatr wył i dmuchał wokół niej. Abeke podciągnęła się na skalny występ i znowu skoczyła. Tym razem podmuch wichru ją spowolnił i cudem udało jej się dosięgnąć następnego miejsca chwytu, nawet mimo pomocy Urazy. Ze wszystkich sił starała się nie patrzeć w dół. Wiedziała, że pod nią zieje ogromna przepaść.

Czując, jak napiera na nią ogłuszająca wichura, Abeke znowu podciągnęła się wyżej. Znalazła się na wąskiej perci i wykonała jeszcze jeden skok, żeby dotrzeć do szczeliny z zamkniętą kamienną skrzynią.

– Nie! – ryczał Arax. – Nie, nie, nie, nie, nie!

Wiatr nasilił się w dwójnasób i cała ściana skalna zaczęła groźnie drżeć. Abeke trzymała się nisko, szła pod wiatr, walcząc o każdy krok. Naparła całym ciałem na kamienne wieko i odrzuciła je z okrzykiem wysiłku, wyrywającym się z ust. Wewnątrz znalazła granitowy posążek barana na cienkim, żelaznym łańcuchu.

Wiatr raptem osłabł, ale zbocze zatrzęsło się mocniej. Część z pobliskich perci i skalnych występów skruszyła się i runęła w dół, w głęboką dolinę. Abeke się modliła, żeby talizman jakoś jej pomógł. Założyła łańcuch na szyję, ale wcale nie poczuła się inaczej.

Zadrżała. Skalna półka pod jej stopami zaczęła pękać. Całe zbocze trzęsło się teraz mocniej niż wcześniej. Wiele spośród występów, po których Abeke się tu dostała, odpadło od ściany skalnej. Dziewczyna nie miała jednak wyboru. Z góry spadały głazy, a perć pod jej stopami w każdej chwili mogła runąć w dół.

Musiała skoczyć.

Nie czuła mocy talizmanu aż do chwili odbicia. Za to, kiedy tylko się poderwała, miała wrażenie, że moc użyczona jej przez Urazę nasiliła się nagle czterokrotnie. Skok poniósł Abeke dalej, niż śmiała mieć nadzieję. Z dreszczem euforii pokonała w powietrzu szmat drogi, a perć, na której jeszcze przed sekundą stała, osunęła się w przepaść.

Abeke leciała długo, ale nie dość daleko, żeby dosięgnąć rozległej półki skalnej. Nie miała się czego złapać. Kiedy zaczęła obniżać lot, w ścianie zauważyła szparę. Była ona na tyle duża, żeby zapewnić jej odrobinę oparcia. Odbiła się od niej, zyskując nieco na wysokości, i ostatnim wysiłkiem wylądowała na półce tuż obok Urazy.

– Nieprawdopodobne – powiedziała zdumiona Sylva.

Wiatr osłabł.

Sokolica znowu zerwała się do lotu.

Sylva rozpoczęła niebezpieczną drogę w dół, do swojego nietoperza.

Abeke podniosła swój łuk i odwróciła się do Araxa. Walka z baranem przesuwała się z wolna w jej stronę. Kilkoro ludzi i zwierząt nie było już w stanie ustać o własnych siłach, a Arax walczył z pozostałymi ze zdwojoną mocą. Na oczach Abeke niedźwiedź grizzly, uderzony ogromnymi rogami jak taranem, przeleciał przez krawędź skalnej półki.

Sam Arax z ledwością zdołał wyhamować przed upadkiem w przepaść. Zaraz potem odwrócił się w kierunku Abeke i wbił mordercze spojrzenie w talizman na jej szyi. Z rykiem, od którego trzęsły się góry, zaszarżował prosto na dziewczynę. Abeke zwinnie odskoczyła w bok, potem w przeciwną stronę, ale baran nie dał się zwieść tym unikom. Nagle się zorientowała, że za plecami ma przepaść, a rozjuszona Wielka Bestia stoi przed nią, opuszczając potężne rogi do ciosu.

W tej samej chwili brodaty olbrzym z drużyny Zielonych Płaszczy zaryczał nieludzko, rzucił się na barana i oplótł ramionami jedną z jego tylnych nóg. Arax przystanął niezdarnie, próbując wierzgać, ale mężczyzna utrzymywał jego racicę z dala od skalnego podłoża, napierając na barana z całej siły. Wtedy Briggan błysnął zębami i zaatakował drugą nogę Araxa. Essix zaskrzeczała, po czym rzuciła się baranowi do oczu, by zajadle ugodzić je szponami. Arax wierzgał wściekle, chwiejąc się. Olbrzym z brodą wydał z siebie tytaniczny ryk, obrócił całe ciało i ostatnim wysiłkiem napierając na nogę Araxa, wypchnął go za brzeg skalnej półki.

Mężczyzna opadł bez sił na kolana, a baran zniknął za krawędzią – spadał do stóp wielkiej góry, w ślad za niedźwiedziem grizzly.

Abeke oniemiała. Nieznajomy nie dość, że właśnie pokonał jedną z Wielkich Bestii, to w dodatku ocalił jej samej życie.

Brodacz spojrzał na nią.

– Nic... nic ci nie jest? – zapytał, wyciągając rękę w jej stronę.

Zanim Abeke zdążyła odpowiedzieć, przyskoczył Zerif i dźgnął olbrzyma w plecy. Abeke krzyknęła i zakryła usta dłonią. Zraniony mężczyzna dotknął palcami sztychu wystającego z klatki piersiowej. Sekundę później u jego boku znalazł się członek Zielonych Płaszczy, ten z wydrą. Zamachnął się mieczem na Zerifa, ale przeciwnik umknął, zostawiwszy broń w ciele brodacza.

Abeke nie mogła uwierzyć własnym oczom. Ten oto człowiek, wróg, ocalił jej życie, a jego nagrodą miała być śmierć. Śmierć zadana ciosem w plecy, bez krzty honoru... Abeke zbliżyła się do swojego wybawcy.

Mężczyzna w zielonym płaszczu zdążył się już wdać w walkę z kolejną Amayanką z drużyny Zerifa. Żmija kobiety zaatakowała go od tyłu, ale wydra chwyciła ją zębami tuż poniżej głowy i nie puszczała, choć żmija rzucała się dziko. Nagle mężczyzna raził przeciwniczkę głowicą miecza, czym pozbawił ją przytomności.

Tymczasem Zerif podbiegł do Shane'a i podniósł go na nogi. Szakal Zerifa uniknął obrażeń, ale rosomak Shane'a utykał. Inni członkowie grupy, którzy przeżyli starcie, powoli do nich dołączali. Byli pokonani. Poza Zerifem i Shane'em tylko jednej osobie udało się nie stracić zwierzoducha. Zerifowi kończyli się sprzymierzeńcy, dlatego razem z towarzyszami zaczął uciekać kamienistym rumowiskiem. Niosąc na ramieniu Shane'a, a w dłoni jego szablę, gorączkowo złowił wzrok Abeke.

– Szybko, tędy! – krzyknął.

Abeke pokręciła głową z dziwną pewnością siebie.

– Z nami koniec! Nie jestem już po waszej stronie!

W pierwszej chwili Zerif wyglądał na zaszokowanego, potem jednak jego oczy wypełniła zimna furia.

Abeke nałożyła strzałę na cięciwę łuku.

– Idź. Albo zacznę strzelać.

Zerif rzucił jej jeszcze jedno nienawistne spojrzenie, potem zaś odwrócił się i pobiegł w górę rumowiska z nadludzką szybkością.

Do Abeke zwrócił się wysoki mężczyzna w zielonym płaszczu.

– Masz talizman? – zapytał.

Abeke zdjęła strzałę z cięciwy, po czym dotknęła Granitowego Barana.

– Mam.

– I jesteś teraz po naszej stronie?

– Jeśli mnie przyjmiecie.

Mężczyzna skinął głową.

– Przyjmiemy. Potrzebujemy cię. Jestem Tarik – powiedział i podszedł do powalonego olbrzyma z brodą.

Obok niego klęczała dziewczyna z Zhong, podobnie jak mniejszy, łysiejący mężczyzna z szopem. Panda obwąchała ranę, z której wystawał czubek miecza.

– Ulecz go! – naciskała na swojego zwierzoducha dziewczyna. – Przecież to właśnie umiesz! Ulecz go albo pomóż mi to zrobić. Powiedz mi, jak...

– Nie wszystkie rany da się wyleczyć – wydyszał brodacz. – Baran pokonał Joolsa, ale niedźwiedź zdążył dać mi ostatni przypływ siły. Nigdy wcześniej nie udało mi się podnieść niczego nawet w połowie tak ciężkiego...

Jhi polizała dziewczynę, która nie kryła łez.

– Ocal go – powtarzała dziewczyna, szlochając cicho.

Brodacz ujął rękę kolegi klęczącego obok.

– Byłeś najlepszym towarzyszem, jakiego można mieć, Monte – odezwał się głosem, który ścichł do szeptu. – Jesteś prawdziwym przyjacielem. – Z trudem zaczerpnął tchu. – Nie zapomnij powiedzieć wszystkim, że zepchnąłem Wielką Bestię w przepaść.

– Będą o tym opowiadać i śpiewać pieśni – obiecał Monte. Po jego policzkach ciekły łzy.

– Przepraszam, że zostawiam cię tak wcześnie.

– Niedługo się spotkamy.

Brodacz spojrzał na Tarika. Rzęził ciężko, a krew płynęła mu z ust, plamiąc brodę.

– Jeżeli to możliwe, pochowajcie mnie w zielonym płaszczu.

– Nic nie byłoby bardziej stosowne – zapewnił go Tarik.

Brodacz opuścił głowę i zamknął oczy. Monte nachylił się nad nim, coś szepcząc. Pierś rannego unosiła się spazmatycznie, coraz słabiej. Potem znieruchomiała.

– Nie mogę uwierzyć, że zabił Wielką Bestię – powiedział stłumionym głosem chłopiec z wilkiem.

– Arax żyje – odparł Tarik. – Żeby go zabić, nie wystarczy upadek, nawet z takiej wysokości. Wielkie Bestie mają w sobie zbyt wiele życia. Ale jeśli się pospieszymy, być może zdołamy jeszcze uciec. – Jego ton był rzeczowy, jednak Abeke widziała, że mężczyzna wygląda na bardzo zmęczonego. I bardzo smutnego.

Monte uniósł głowę.

– Barlow nie żyje. Nie chcę go tu zostawiać.

– Trzeba będzie znieść go do miejsca, gdzie zostawiliśmy konie – powiedział Tarik. – Poradzimy sobie.

Uraza warknięciem dała znać, że się z nim zgadza.

– A co, jeśli zastawią na nas pułapkę? – spytał chłopiec z wilkiem.

Twarz Tarika spochmurniała. Mężczyzna pogłaskał jelec swojego miecza.

– Liczę na to, że spróbują.

18

POLEGLI

Conor opierał się o parapet. Lekkie podmuchy wiatru wichrzyły mu włosy. Chociaż chłopak spoglądał na zachód z najwyżej położonego punktu obserwacyjnego, góry, w których walczyli z Araxem, były zbyt daleko, żeby je dostrzec. Briggan siedział obok Conora, trącając nosem jego rękę.

Do Wieży Zachodu dotarli wczorajszego wieczoru. Wracali do twierdzy w pośpiechu, pędzeni nieustanną obawą, że Arax zdoła ich dogonić albo że Zerif spróbuje urządzić zasadzkę. Nikt ich jednak nie nękał.

Barlow spoczął na pięknej łące, owinięty w zielony płaszcz Tarika. Monte wrócił z drużyną do fortecy, zdecydowany odnowić śluby. W drodze powrotnej mówił już znacznie mniej.

Conor starał się nie dopuszczać do siebie pewnych myśli. Próbował nie przywoływać widoku Barlowa oraz Joolsa ani też się nie zastanawiać, jak sam by się czuł, gdyby coś się stało Brigganowi. Nie chciał zgadywać, jakie inne niebezpieczeństwa na nich czyhają i ilu jeszcze przyjaciół może stracić.

Conor pogłaskał gęste futro na karku Briggana.

– Nie mogę uwierzyć, że tu wróciliśmy. Nie minęło wcale dużo czasu, a mam wrażenie, jakby to było w innym życiu...

Wilk polizał wnętrze jego dłoni. Nabrał takiego zwyczaju od czasu bitwy na skalnej półce.

Conor uklęknął i zaczął oburącz głaskać Briggana.

– Bądź cierpliwy – powiedział. – Będę ćwiczył walkę toporem. Udało mi się przeżyć i zdołałem odwrócić uwagę części naszych wrogów podczas starcia w górach, ale stać mnie na więcej. Następnym razem nie będziesz musiał tak często ratować mi życia.

Briggan potarł nosem jego przedramię.

– To łaskocze.

Wilk znowu trącił go nosem.

– Co robisz, chłopie?

Briggan wpatrywał się w niego intensywnie.

– Aha! – Conor wreszcie zrozumiał, o co mu chodzi. – Co mam zrobić?

Widział, jak inni po prostu wyciągają przed siebie ramię, więc zrobił tak samo.

Błysnęło i Briggan stał się tatuażem na wierzchu przedramienia chłopaka. Rysunek palił Conora przez chwilę jak oparzenie, ale piekący ból szybko ustąpił.

– Widziałem – odezwał się ktoś za jego plecami.

Conor się odwrócił. Przez drzwi wiodące na szczyt wieży wszedł Rollan z ręką na temblaku. Były z nim Meilin i Abeke, obie w zielonych płaszczach.

– Od jak dawna to potrafisz? – zapytał Rollan. – Ukrywałeś to, żeby nie urazić moich uczuć, co? Ale ja nie potrzebuję litości.

– To pierwszy raz – uspokoił go Conor, pokazując znak na ramieniu. – Naprawdę.

– Dobra robota – powiedziała Meilin.

– Dzięki – odparł nieśmiało Conor.

Bezpośrednie rozmowy z Meilin wprawiały go w zakłopotanie. Dziewczyna była taka… niesamowita. I trudno ją było przeniknąć.

– Myślę, że Briggan nie chciał być uśpiony podczas podróży pod gołym niebem – dodał. – Tutaj czuje się chyba bezpiecznie.

– Zastanawiam się, czy moja Essix kiedykolwiek tak się poczuje – przyznał Rollan.

– Daj jej trochę czasu – doradziła Abeke.

– Właśnie, a gdzie Essix? – zainteresował się Conor.

Rollan przymrużył oczy i spojrzał w niebo.

– Tam gdzie zwykle. Gdzieś sobie lata. Lubi, kiedy pozwalam jej robić, co chce. A ja potrafię to uszanować.

– Pewnie się gniewa, bo nie chcesz wstąpić do Zielonych Płaszczy – zażartował Conor.

– Nie. – Rollan pokręcił głową. – Sądzę, że mnie rozumie. Nie myślcie o mnie źle, proszę. Szanuję waszą decyzję o przyłączeniu się do nich, naprawdę. Zwłaszcza w twoim przypadku, Abeke. Tyle przecież przeszłaś. Po prostu nie jestem jeszcze pewien, czy to dla mnie. Te wszystkie oficjalne śluby i tak dalej. Nigdzie się przecież nie wybieram. Nadal będę wam pomagał. I kto wie, może pewnego dnia sam włożę takie wdzianko.

– I co dalej? Teraz, po powrocie? – zapytała Meilin.

– Pewnie będziemy dużo ćwiczyć – odpowiedział Conor. – I starać się stać godnymi swoich zwierzoduchów. No i będziemy szukać talizmanów. Taki w każdym razie jest mój plan.

– Śniłeś ostatnio o jakichś nowych zwierzętach? – spytał Rollan, pozornie od niechcenia.

Conor zerknął na Briggana, po czym odwrócił wzrok i zapatrzył się na krajobraz.

– Myślę, że zasłużyliśmy na przerwę.

– Ale nie odpowiedziałeś na moje pytanie – zauważył Rollan.

Conor spuścił oczy.

– No dobrze. Nie wspomniałem o tym jeszcze Olvanowi ani Lenori, choć dziś rano ona zmierzyła mnie dziwnym spojrzeniem. Nie chcę nikogo martwić ani psuć wam czasu przeznaczonego na odpoczynek, ale od kilku dni... śnią mi się koszmary. O dziku.

19

POWRÓT

Za oceanami, po przeciwległej stronie Erdas, padał ciepły deszcz, nasączając wodą sporej wielkości kopiec ziemny, wznoszący się na nagiej prerii. Na nocnym niebie tańczyły błyskawice, rozświetlając od czasu do czasu sklepienie z chmur. Gromy toczące się po nieboskłonie groźnie ryczały i huczały, zagłuszając odgłos spadających kropli deszczu.

Jaskrawe pioruny wyciągały z mroku setki, a może nawet tysiące wombatów, rozkopujących boki błotnistego kopca, niczym armia mrówek drążących tunel w mrowisku. Nie zważając na szalejącą burzę, zwierzęta ryły gorączkowo ziemię krwawiącymi łapami.

Pośród wombatów szedł samotny mężczyzna, obserwując ich pracę przy rozbłyskach piorunów. Były już blisko. Czuł to.

W jednej ręce trzymał dość ciężki, prymitywny klucz, pokryty wzorem zwierzęcych głów. Dostarczono mu go w końcu, zgodnie z obietnicą. Tej nocy miało nastąpić ukoronowanie wielu lat pracy.

Włosy na karku i ramionach mężczyzny się najeżyły. Nagle rozległ się huk. Mężczyzna zrobił kilka powłóczystych kroków, upuścił klucz i zakrył uszy rękami.

W niewielkiej odległości od niego uderzył grom, wyrzucając w powietrze ciała wombatów. Huk był ogłuszający, mimo że mężczyzna zatkał uszy. Po ziemi dotarł do niego wstrząs elektryczny. Mięśnie w jego nodze zacisnęły się boleśnie, ale udało mu się ustać.

Następna błyskawica odsłoniła co najmniej kilkanaście martwych wombatów, których ciała zalegały ziemię po lewej stronie. Pozostałe zwierzęta niestrudzenie kopały jednak dalej. Zwykle tak nie się zachowywały, nie było to dla nich normalne. Jednak to wcale nie były zwyczajne wombaty. Były one niewolnikami tego, co się kryło pod kopcem. Mężczyzna służył temu samemu, wyznawał jednak inne wartości. A w każdym razie to właśnie sobie powtarzał.

Wokół nadal szalała burza, a on podniósł z ziemi klucz. Zataczał kręgi wokół kopca, czując, jak błotnisty grunt z każdym krokiem próbuje go wessać. Wreszcie kolejny błysk ujawnił, że wombaty porzuciły swoją pracę i zgromadziły się po jednej stronie kopca.

Pospiesznie ruszył w tamtą stronę. Gdy się zbliżył, nie potrzebował już rozbłysku pioruna. Klucz wydawał się namagnetyzowany – jakaś niewidzialna siła przyciągała go do miejsca przeznaczenia.

Jaskrawe światło kolejnej błyskawicy ukazało wyrwę w boku kopca. Wombaty zachowywały pełny respektu dystans, mężczyzna zaś wszedł do wnętrza wyrwy. Wpadł do wody po kolana.

Wstrzymując oddech, włożył klucz w świeżo odkopany otwór. Rozległo się narastające dudnienie, ale nie był to grom. Drżenie dochodziło spod ziemi. Wyczuł je, zanim je usłyszał. Po chwili ów odgłos przerodził się w ryk.

Następna oślepiająca błyskawica oświetliła cały rozpadający się kopiec. Z błota uniosła się ogromna wężowata postać z rozpostartym kapturem, węsząca powietrze rozwidlonym językiem.

Mężczyzna nie wiedział, czy przeżyje, czy przyjdzie mu zginąć, ale i tak się skłonił. Jeśli nadszedł jego czas, przynajmniej osiągnął swój cel. Istota spod kopca miała w nim dobrego sługę.

Gerathon był wolny.